**Classici dell'Arte**

*8.*

*L'opera completa di*

# Andrea
# Mantegna

# Classici dell'Arte

*Biblioteca Universale delle Arti Figurative*
*diretta da*
PAOLO LECALDANO

*Comitato di Consulenza critica*
Consulenti italiani:
BRUNO MOLAJOLI
CARLO L. RAGGHIANTI
Consulenti francesi:
ANDRÉ CHASTEL
JACQUES THUILLIER
Consulenti inglesi:
DOUGLAS COOPER
DAVID TALBOT RICE
Consulenti americani:
LORENZ EITNER
RUDOLF WITTKOWER
Consulenti spagnoli:
XAVIER DE SALAS
ENRIQUE LAFUENTE FERRARI

*Consulente critico centrale*
GIAN ALBERTO DELL'ACQUA

*Redattore capo*
ETTORE CAMESASCA

*Redazione e Grafica*
EDI BACCHESCHI
ANGELA OTTINO DELLA CHIESA
PIERLUIGI DE VECCHI
SERGIO CORADESCHI
SALVATORE SALMI
SERGIO TRAGNI
MARCELLO ZOFFILI

*Segreteria*
FRANCA SIRONI
MARISA DE LUCIA

*Consulenza grafica e tecnica*
PIERO RAGGI

*Stampa a cura di*
LUCIO FOSSATI
ROBERTO MOMBELLI

*Comitato Editoriale*
ANDREA RIZZOLI
GIANNI FERRAUTO
HENRI FLAMMARION
FRANCIS BOUVET
GEORGE WEIDENFELD
RONALD STROM
DEXTER E. ROBINSON
ROY D. CHENNELLS
J. Y. A. NOGUER
JOSÉ PARDO

*L'opera completa del*

# Mantegna

*Presentazione di*
MARIA BELLONCI

*Apparati critici e filologici di*
NINY GARAVAGLIA

Rizzoli Editore · Milano

# Il "solenne maestro"

Centotrentasette pittori, è stato scritto, si formarono nella bottega di Francesco Squarcione, padovano. Francesco l'astuto, potremmo chiamarlo: astuto ad un vivere recitato, procedente dalla spiritosa loquacità dei suoi conterranei ad una sorta di millanteria sfoggiata sua propria. Prima di essere pittore s'era ingegnato in molte cose, anche nel ricamare e nel cucire da sarto; e difatti quelle sue forme durette che per ammorbidirsi si ondulavano rigidamente o si svuotavano allungandosi, sembrano talvolta star su per cuciture interne ripassate a rinforzo. Ma la sua fama non è tanto affidata alle opere pittoriche, quanto ad un'idea molto pratica; e fu di aprire in Padova una scuola per giovani supposti valenti ai quali egli insegnava a muovere il pennello e a macinare colori: alcuni erano tenuti come discepoli, altri, troppo poveri per pagarsi la scuola, adottati come figli; e così fu adottato, nel 1441, un ragazzetto fra i dieci e gli undici anni figlio del falegname Biagio inurbato dal paesino di Isola di Carturo tra Vicenza e Padova. Si chiamava Andrea Mantegna, era uno fra i più poveri. Ma quel biondo di occhi chiari, così intento in se stesso quando non erompeva in ribellioni, non era per niente maneggevole né facile da intaccare nella sua precoce solidità. Sentendosi oscuramente provocato, lo Squarcione sottoponeva il figlio adottivo ad una disciplina ineguale e stancante; gli comandava persino, appena ripuliti i pennelli, di sfaccendare per casa negli umili lavori di garzone. Andrea insorgeva, poi doveva tacere; e certo l'energica intransigenza del suo temperamento, repugnante a qualsiasi forma d'ingiustizia e di prevaricazione, gli fece patire allora quei profondi furori che, domati da un'estrema volontà di razionalizzazione, gli dovevano rimanere dentro, immedicati, per tutta la vita.

Da parte sua lo Squarcione di tali contrasti si gloriava, se, anni dopo, quando la fama del Mantegna era stabilita, gridava ai suoi allievi tra promessa e minaccia: "Ho fatto un omo de Andrea Mantegna come farò de ti!". Un uomo, e tale uomo, Andrea era diventato proprio contro il maestro; è anche vero però che quella pericolosa iniziazione didattica contribuì a maturare rapidamente il ragazzo e a far coincidere ogni suo colpo d'ira con le possibilità del suo genio. Così accade al giovanissimo artista una cosa inconsueta: senza incertezze, senza errori, egli si manifesta alla prima, in piena luce; e gli accadrà questo prodigio: rimarrà alla stessa altezza quasi senza flessioni, fino alla morte.

Ogni artista ha il suo segreto, e il più chiaro è il più difficile. Osservava Charles Du Bos, mentre si disponeva all'approssimazione critica di Gide, che nulla è misterioso quanto una bottiglia di vetro piena d'acqua pura. Andrea Mantegna è come un solido geometrico di cristallo; ciascuna faccia risponde rigorosamente a una regola numerica; ma in realtà i numeri ci sfuggono negli scatti delle molteplici rifrangenze. Tuttavia, qualunque vento interpretativo possa tirare, egli rimane sicuramente un punto inamovibile dell'espressione rinascimentale; e lo è proprio compiutamente, sorgendo tutto nuovo dalla grande favola gotica settentrionale travolta in quel primo Quattrocento da una *nouvelle vague* fra le più portentose che abbiano investito anzi sovvertito il mondo: l'umanesimo. Umanesimo, per dirla essenzialmente (e molto sommariamente), significava Firenze; e da Firenze infatti risalirono l'Italia i toscani, trasmigranti al nord con diversi ritmi, a Venezia con i più veloci. La ragionativa concreta Repubblica, allora espansa nei mari e nelle terre d'Oriente in tutta la sua potenza commerciale e politica, sembrava fatta apposta per assorbire le forme nelle quali l'umanesimo diventava Rinascimento. Andrea del Castagno a San Zaccaria, i Lamberti a Palazzo Ducale, Filippo Lippi, immettono una corrente inebriante nella vita pittorica veneziana. A Padova, oltre i quaderni di disegni antichi e nuovi, fu Donatello con l'altare in Sant'Antonio e il *Gattamelata* in piazza a far rivoluzione (e anche il Lippi e Paolo Uccello in gradazione di tempi). La nozione della dignità dell'uomo aveva qualche cosa di solare, irresistibile per la gente del nord: l'uomo di Seneca nelle ricostituite dimensioni del reale s'imponeva e prevaleva sugli astrattismi della teologia.

È bellissimo sentire la potenza della spallata mantegnesca quando egli si scuote dalla tutela dello Squarcione; per quasi sette anni è stato sfruttato, ingannato: "deceptus", come sentenziano i legali nel dargli ragione. Ora, libero, mette casa indipendente nella contrada di Santa Lucia; ha diciassette anni nel 1448; e firma il suo primo lavoro dichiarando con fermo orgoglio nome ed età: un lavoro importante, l'ancona, oggi perduta, per l'altar maggiore della chiesa di Santa Sofia. Di lì a qualche mese una signora dal nome ambizioso, madonna Imperatrice Ovetari, per ornare la sua cappella alla chiesa degli Eremitani secondo il lascito del marito, spartiva settecento scudi d'oro fra due gruppi di pittori: quattro in tutto, due tradizionalmente goticizzanti, due nuovissimi, Andrea Mantegna e Niccolò Pizolo: quest'ultimo, buon pittore, attento alle correnti nuove, era gran giocatore d'armi; sicché, fra lama e lama, una sera che tornava dal lavoro, fu "affrontato e morto a tradimento" come annota il Vasari. Era la fine d'aprile 1453, la cappella agli Eremitani affrescata solo in parte. Si finì di pagare, ma non di dipingere, nel febbraio del 1454. Le cose a mano a mano s'imbrogliarono: e madonna Imperatrice trovò il modo di sdegnarsi quando qualcuno le fece notare che nella figurazione dell'Assunta gli apostoli erano otto e non dodici. Gli era venuto bene comporre così nello spazio esiguo, spiegò il Mantegna senza riuscire a convincere la committente. Ed è chiaro che dietro di lei si celasse l'animosità dello Squarcione trafitto in ogni molecola d'orgoglio dalla diserzione dell'allievo, se, chiamato a giudicare le nuove pitture, si scoprì senza riserve: per lui gli affreschi del Mantegna erano da considerare qualche cosa come statue colorate ricavate dalla "durezza dei sassi" piuttosto che dalla morbidezza dei pennelli.

L'ira gli crebbe quando Andrea se ne andò a Venezia ed entrò nella più viva società artistica del settentrione sposando Nicolosa Bellini, figlia di Iacopo, sorella di Gentile e di quel puro poeta del colore che fu Giovanni Bellini. Gran comunanza di amicizia fra le due famiglie; e piacerebbe avere di Nicolosa qualche briciola di notizie personali. Venendo da quella casa di raffinati pennellatori ella doveva conoscere bene gli usi e le esigenze degli uomini dell'arte; figlia e sorella di gente costumata e aggraziata anche nelle passioni, qualche cosa di quei caratteri doveva essersi trasferito in lei. I magri documenti su Nicolosa ci dicono soltanto che ella visse col marito in un accordo che non abbiamo ragione di credere solo apparente; morì prima di lui e allevò alcuni figli, ragazzi operosi e mediocri pittori. Il gran filone mantegnesco e belliniano scomparve del tutto nei loro discendenti, come del resto è naturale che sia: il genio è solitario, trasmigra a suo modo e raramente col sangue.

Andrea sposo continuò a lavorare agli Eremitani di Padova intramezzando il lavoro d'affresco con quadri di commissione. E finalmente la cappella fu compiuta.

Chi ha potuto vedere su quelle pareti di scomoda verticalità le 'storie' di san Cristoforo e di san Giacomo e ha potuto sentire l'urto che quelle apparizioni suscitavano nelle persone disponibili alle emozioni dell'arte, non può che desolarsi ancora, e sempre desolarsi per il crudele laceramento che le bombe del marzo 1944 produssero nella chiesa frantumando quei muri innocenti e venerandi. In molti piangemmo alla notizia; sapevamo che spariva, e che mancherà senza compenso alle generazioni presenti e future, l'incontro con una creazione di giovinezza severa, creazione compiuta da un artista che, nel passare degli anni dai diciassette ai ventisette, aveva espresso in forme quiete e solenni la speranza di un mondo equamente scompartito, dove la giustizia umana presieda, anche quando appare vinta.

Passa il 1457 e viene il 1458. Andrea chiude agli Eremitani e comincia la splendida pala con quella predella di narrazioni animosamente spaziate tra rocce e architetture per la chiesa di San Zeno in Verona. Padova gli pesa, "Padoa che nutre gli altri, e i suoi divora", come scriverà molti anni più tardi un autore satirico del paese. E di questi tempi arrivava, ripetuto con insistenza, l'invito di Ludovico Gonzaga marchese di Mantova: venisse a stabilirsi sulle rive del Mincio, l'ottimo pittore. Qui la vita era tranquilla, la gente disposta al buon accoglimento, non esistevano fumose scuole pittoriche di arrabbiati. Erano pronti casa, stipendio; alle opere avrebbero corrisposto, liberali e frequenti, i doni, i riconoscimenti, gli onori. Che non fossero parole sul vago, Andrea lo sapeva. Casa Gonzaga era di temperata ricchezza: alla corte di Mantova non si sarebbe trovato lo smagliante per quanto improvvisato splendore sforzesco, né la distillata magnificenza medicea, né la doviziosa e polposa amministrazione estense. Il marchese Ludovico militava a stipendio e cercava di patteggiarlo alto come facevano signori di terre più ristrette delle sue. Paese essenzialmente agricolo, il mantovano risentiva non solo delle guerre, delle inondazioni e delle carestie, mali ricorrenti, ma anche delle costrizioni tributarie che Ludovico aveva dovuto imporre per riparare alle incontrollate liberalità del marchese Gianfrancesco suo padre. Ma a tutti i Gonzaga piaceva spendere per le cose d'arte; tutti credevano nell'umanesimo, anzi ci vivevano dentro come in un umore vitale. I dieci figli di Ludovico, maschi e femmine, crescevano secondo gli insegnamenti di quel singolare cristiano di purezza greceggiante che era stato Vittorino da Feltre: non sotto lui stesso, morto nel 1446, ma nel suo sistema e nella sua scuola, quella 'Giocosa' che fu uno dei più felici fiori dell'umanesimo italiano; vi passarono tra gli altri Ognibene da Lonigo, il Platina, il Filelfo. In casa Gonzaga la considerazione dello studio era tale che il Filelfo aveva potuto permettersi di sgridare dall'alto i marchesi perché non si curavano troppo, a suo parere, di far uscire il loro primogenito "dalla schiera degli ignoranti".

La marchesa Barbara di Brandeburgo, tedesca, ma allevata da bambina a Mantova, doveva spesso ingegnarsi con i pagamenti e con le spese. Barbara, in perfetta parità col marito, era una donna di singolare quadratura mentale, abile in ogni faccenda, diplomatica e politica, risoluta e gentile. Un piacevole documento ce la mostra mentre con le sue donne se ne va a sedersi sugli stalli dove erano stati a conferenza il papa Pio II e i cardinali per disegnare la famosa crociata poi fallita: ridevano le donne, e la marchesa stessa imitava la parlata e i gesti di quei grandi personaggi. Ma con tutta la sua lietezza divertita, Barbara, madre di coraggio, anzi madre drammatica, sopportava da valorosa la sventura che la colpiva nei suoi figli: dieci, abbiamo detto, dei quali ella stessa definiva "guasti" (cioè gobbi) almeno quattro: dichiarando poi che ne aveva "una frotta belli e diritti". In realtà i piccoli Gonzaga non erano molto belli e non erano tutti diritti nemmeno i sei che la madre voleva salvare; ma erano allegri e graziosi, legati da teneri affetti; studiavano tutti il latino, e alle feste virgiliane di Pietole andavano coronati di rose. Virgilio, a Mantova, era un antico nume: il marchese Ludovico sapeva tutto di lui, poeticamente e criticamente.

Ma per quanto seriamente educato allo studio, Ludovico Gonzaga vale meglio per il suo modo d'essere nel proprio tempo. Il suo punto d'incontro col Mantegna non fu come quello di Lorenzo de' Medici con gli artisti fiorentini, un'agile e coscientissima presa di potere intellettuale; ma uno scambio, una verifica di intuizioni di cultura che coincidevano con impulsi morali: venendo egli da una formazione essenzialmente virgiliana per la quale anche l'esercizio delle armi, anche gli atti di governo erano operazioni composte in una robusta malinconia; e trovando nelle acquisizioni mantegnesche, offerte come certezze, la disciplina di regole spaziali che nella loro ineluttabilità annunciavano una sorta di immortalità. Equilibrio, appunto, corrispondente negli spiriti e nelle forme: italiano più che romano, nel senso in cui l'italiano raggiunge una radice universale.

Equilibrio non esente da attentati. Proprio perché i due uomini erano così integri non vi fu mai un minuto di monotonia nelle relazioni tra il pittore e il signore. Si erano riconosciuti a prima vista, se già nel 1461, appena il Mantegna si fu stabilito a Mantova, il Gonzaga, raccomandandolo al podestà di Padova per certe faccende rimaste insolute, lo chiama "il mio carissimo Mantegna, solenne maestro". Solenne, per dire eccellente in assoluto. Quando Andrea mostrava un suo lavoro, una pittura in tavola, in tela o su muro, o un disegno architettonico o un modello per arazzo, o un progetto di decorazione festiva, c'era sempre una frazione di minuto nella quale l'attesa lievitava in ammirazione. Come per continua riprova, il maestro risolveva in immagini infallibili le immagini fluttuanti, a dimensioni vaghe, di coloro che gli erano intorno. Così Andrea sentiva nella sua mano, convalidata dalla venerazione altrui, la veemente sicurezza d'inventare il mondo; e, costretto talvolta a subire una sorta d'inadeguatezza fra le sue ascese e le ristrettezze economiche alle quali doveva sottomettersi, si sentiva offeso, dava in proteste e lamentazioni. Sembra incredibile la mansuetudine di Ludovico, ed è pacatamente stoica la sua umiltà quando prega l'artista di pazientare poiché per certi tracolli avuti non ha più denari, e "tutte le zoglie nostre [gioielli di famiglia] sono ad usura", cioè date in pegno. Confidenza come parità: ecco perché nella Camera degli Sposi, in questa monumentale testimonianza di pittura civile del Rinascimento, il Mantegna poté dipingersi con la berretta bilanciata sul capo, a colloquio con i suoi signori, fronteggiandoli sullo stesso piano.

Molto più di un attimo di sospensione dava ai contemporanei del Mantegna e dà ai posteri la Camera degli Sposi. Non è un'apparizione di forme idealizzate, un'aspirazione ardente ad una nobiltà più che umana come la cappella degli Eremitani, ma un ritrovamento di ciò che abbiamo sempre sentito in noi e che d'un tratto si manifesta come visione. In questo ritratto di famiglia nessuno è adulato: il marchese Ludovico esprime il suo valore nel suo stesso modo d'essere affaticato, la marchesa Barbara è rilevata in ogni sua durezza germanica; dei loro figli, il cardinale appare come respinto da ogni espressività nel viso appiattito, Gianfrancesco impietosamente dilatato in grassezza, Ludovichino e Paolina, i minori, incisi quasi crudelmente nella loro esilità esangue, vicina al rachitismo. Ma nessuno protesta, nessuno si sdegna: a ragione. Un gran sangue circola dietro quelle pareti nella rappresentazione di un luogo che è insieme sociale e poetico, e dove in un conchiuso ritmo vitale si compongono le figure, la loggia aereata, il paesaggio lievemente toccato di particolari delicati, il balletto delle giovani gambe dei cortigiani, il cavallone bianco da parata, i cani, i paggi, tutti tonici nel loro realismo e viventi nella pausa di un respiro, sotto quell'occhio aperto in alto su un cielo azzurro dove abitano deità benigne agli umani.

Se è vero che deve considerarsi compiuto colui che nella sua esistenza abbia fatto un bel viaggio, il viaggio bello del Mantegna non fu a Venezia, né a Firenze, né a Pisa, e nemmeno a Roma; fu un breve trascorrere di giorni sul lago di Garda con amici quali l'estroso antiquario veronese Felice Feliciano, l'architetto Giovanni Antenoreo, il pittore Samuele da Tradate. Se ne andarono in un settembre fresco e soleggiato alla ricerca di anticaglie romane, ricevuti da festosi amici coronati di mirto; si estasiarono davanti a rovine marmoree, decifrarono eleganti iscrizioni; ma più sentirono la grazia struggente della natura nei coloriti fiori, nei "viridari paradisiaci", tra palme cipressi ulivi e soprattutto tra i fitti agrumeti dalle foglie splendenti. Ricordi di questo paesaggio saranno la nicchia erborea traforata di luci nella *Madonna della Vittoria* e le arcate di fitta verdura nella *Virtù che scaccia i vizi*. Quasi eccezioni, poiché nei fondi mantegneschi ricorre più frequentemente la roccia, il sasso di Monselice, scheggiato, solitario, tagliato a diamante. Una volta sola il pittore fece un diretto omaggio a Mantova; e fu nella tavoletta (ora al Prado) della *Morte della Madonna*. Quasi immaginata la loggia di Castello: e di qua si compone nelle cadenze di un lirismo ordinato, quasi in un pianto represso, il letto della Vergine distesa, vegliata dagli apostoli; e di là dalla curvatura serena dell'arcata si allunga il ponte di San Giorgio attraversando il lago fino alla terraferma in un paesaggio di sfumature lacustri sotto il gran cielo patria di ogni fantasia.

Sarà vero, come qualcuno ha scritto, che per restare a Mantova il Mantegna mancò a uno svolgimento più mosso? Passavano per l'Italia Leonardo, Michelangelo, Raffaello, Giovanni Bellini, Giorgione; ma egli rimaneva fermo ai propri rinnovi di energia. Ad uno come lui non sarebbe mancato il modo, andando per l'Italia come pure andava, girando appena intorno quell'occhio penetrativo, di rendersi conto delle tante e varie correnti: ma era nella natura del suo genio aver bisogno di una piattaforma stabile e non di un trampolino di lancio: stabilità alla quale il Mantegna tendeva anche nella vita quotidiana, nella cura di costruirsi casa e studio, di acquistarsi terre, di fissare egli stesso i suoi punti di riferimento.

Morì Ludovico Gonzaga nel 1478 e gli successe Federico, il più amabile gobbo che si vedesse mai, adorato dal popolo per la sua indole affabile e riflessiva e per il suo gusto pratico del lavoro industriale e degli scambi commerciali. Era cresciuto dall'adolescenza nella stima del pittore padovano, lo considerava corollario onorando della dinastia, e scuoteva il capo non senza compiacimento quando Andrea si incapricciava e si rifiutava di dipingere per altri prìncipi. È sua la celebre dichiarazione alla duchessa di Milano delusa nella richiesta di un ritrattino: "Questi magistri eccellenti hanno del fantastico e da loro conviene tuore [prendere] ciò che si può avere". Ma per fragilità fisica Federico regnò solo sei anni, morendo giovane, come la moglie Margherita, e lasciando il posto a Francesco II, il bambinetto che nella Camera degli Sposi mostra il suo profilino rincagnato contro la veste prelatizia del cardinale. Cambiavano i tempi, e più rapidamente sarebbero cambiati non appena le prime incrinature delle invasioni straniere fossero diventate franamento di ogni pacifica libertà. Ma ancora nessuno prevedeva un avvenire tanto precipitoso; e fu un tempo felice per Mantova il decennio anteriore al 1494, sotto il regno di Francesco, l'allegro, galante, fascinoso Francesco, buon soldato e gran sensitivo, dal viso potentemente segnato, tanto espanso quanto il padre e il nonno Ludovico erano stati ritenuti e malinconici. Una ventata di giovinezza rinnovava la corte dove comandava un signore diciottenne tra fratelli e sorelle tra i quindici, dodici e dieci anni; e in quella ventata il Mantegna ideava la sua serie del *Trionfo di Cesare*, esprimendo con una eccezionale inventività un'archeologia romantica del tutto diversa come ispirazione e significato dalla potente dinamica interiore della Camera degli Sposi.

Da Roma richiedevano il Mantegna, e Innocenzo VIII Cibo, genovese, gli faceva decorare con avari compensi una cappella in Belvedere che più non esiste. Sempre immerso nel centro della sua opera, Andrea dipingeva: la città color d'ocra bassa, dolce e torbida, stravagante di raffinatezze e di brutalità, lo deludeva. La sua Roma era un'altra, aveva un accento di limpidezza nordica, era rimasta col *Trionfo* nel Castello in riva al Mincio. E, nel tempo della sua dimora romana, che lo vide anche gravemente malato, entrava a Mantova, festeggiatissima sposa di Francesco, Isabella d'Este, seguita da sette cassoni di corredo dipinti da Ercole de Roberti, il gran pittore ferrarese che avrebbe dovuto aspettare secoli per essere riconosciuto nelle sue purezze metafisiche.

Forse in un primo tempo Isabella, come tutte le donne famose per intelligenza, parve temibile al Mantegna che doveva diffidare di lei e ci mise un pezzo a tornare a casa. Se così non fosse non ci spiegheremmo la lettera di un cortigiano che raccomandava alla nuova marchesa di bene accoglierlo al suo ritorno e le assicurava che avrebbe trovato in lui, oltre ad un grande artista, un uomo gentilissimo. Lei che veramente capiva le cose gli fece gran festa e seppe volgere a proprio favore il prestigio che dal grande padovano s'irradiava per tutta Italia. Fu proprio il Mantegna, però, a suscitare in Isabella un personale momento polemico quando il pittore la ritrasse nel 1493, non ancora trentenne, in un quadro destinato ad una dama sua amica: "ne ha tanto malfatta" ella scrive, che l'immagine "non ha le nostre simiglie". Memore di questa esperienza, non volle essere ritratta a riscontro del marito, come era stato progettato, in quella *Madonna della Vittoria* che celebrò l'illusorio trionfo di Fornovo sul re francese Carlo VIII. Tuttavia Isabella riuscì con la forza irresistibile della sua persuasività a piegare il Mantegna a un'esperienza nuova commettendogli quadri per il suo famoso Studiolo. Simboli, allegorie, composite narrazioni che sollecitavano immagini raffinate: chissà se il pittore consentiva a quelle mitiche battaglie, a quei ritmi danzanti pur così vividi sotto il suo pennello?

Erano gli ultimi anni della sua vita, venivano a visitarlo capi di stato, Ercole d'Este, il Magnifico Lorenzo, signori, umanisti, poeti, antiquari. Lui teneva studio in San Sebastiano, in quella che si potrebbe chiamare la "casa della ragione" tanto entrando nel cortile arcuato a giro di compasso s'impone la presenza di ariose geometrie. Dentro vi stava una collezione di oggetti di scavo e vi stavano alcuni quadri dai quali egli non si separò mai, come il "Cristo scurto" ora a Brera, dove lo stesso delirio prospettico diventa amara poesia. Ma chi era veramente il Mantegna? Nemmeno i suoi critici sono riusciti a dedurlo esattamente dall'esame delle sue opere. Anche le contraddizioni, soprattutto le contraddizioni, fanno l'uomo di genio; e non ci stupisce che il Mantegna fosse per alcuni "indemoniato", "rincrescevole", "superbo e fastidioso", e per altri "tutto gentile", "amico incomparabile", "di costumi amabilissimi". In realtà dai documenti ci appare dolce e furioso come sono molti della sua terra. Normalmente casto (non esistono pettegolezzi su di lui, e ci sarebbero senza dubbio arrivati), aveva persino una punta di austerità moralistica inconsueta alle sciolte abitudini rinascimentali, se con tanto impeto sapeva accusare taluno di costumi depravati. La costrizione dell'adolescenza che aveva dovuto armarsi a difesa per salvare una vocazione, la passione di razionalizzare ogni proprio moto, il logoramento dell'immaginare e del penetrare nelle proprie immagini gli avevano lasciato quei grumi di rabbia che si liberavano in grandi fumate di collera a volte persino ambigue. Forse lo junghiano di turno sarebbe pronto a spiegarci che una razionalità così rigorosamente mantenuta a spese dell'intensità di vita condannò la sua personalità nella parte primitiva ad esistere in un modo sotterraneo e appunto, a tratti, ad esplodere. E che vuol dire? Anche se fosse vero, non per questo la Camera degli Sposi sarebbe meno il ritratto rigoroso di un destino umano e della sua accettazione, o le Madonne mantegnesche sarebbero meno eroine intense e sospese nel loro stesso lontanarsi; e il *San Sebastiano* alla Ca' d'Oro balzante e tormentato ci comunicherebbe meno il grido di tragedia nel momento in cui la saetta apre nel petto umano l'ultimo dolore.

MARIA BELLONCI

# Mantegna *Itinerario di un'avventura critica*

Disegno come mezzo di traduzione naturalistica, dotato di sicurezza ed eleganza lineare; abilità manuale e 'vaghezza' — cioè, grazia e 'convenienza' coloristica — nella resa pittorica; soprattutto, il talento prospettico, inteso come virtuosismo illusorio: tali i motivi di elogio per il Mantegna espressi [1485 c.] da Giovanni Santi, il padre di Raffaello. Tali, anche, quelli asseriti da Spagnuoli [1502], Leonardi [1502], Biondo [1549] e parecchi altri contemporanei o posteri immediati, insistendo sulla "verità"; da Lomazzo [1584, 1587 e 1590] e Scannelli [1657], soffermandosi in particolare sulla precisione degli "scorti"; mentre Lorenzo da Pavia celebra [1506] piuttosto la copiosità delle ideazioni, e il Summonte [1524] sembra apprezzare in ispecie l'amore per l'archeologia. Elementi tutti che il Vasari riepiloga nelle *Vite* [1550 e 1568]; e così, sulle orme vasariane, lo Scardeone [1560], trascurando però, nella foga dell'esaltazione, l'accenno del biografo aretino alla "durezza" pietrosa del fare mantegnesco, che pure doveva intrigare parecchio la critica. Del resto l'aveva già menata in causa J. Cammermeister nella premessa [1532] al *De Symmetria* di Dürer, qualificandola come incapacità vera e propria. Vi tornarono sopra il Ridolfi [1648], lo Scaramuccia [1674] e i rari autori successivi che fin quasi tutto il '700 ebbero a parlare del Mantegna, ormai ridotto a una celebrità circoscritta fra Padova e Mantova. Fanno tuttavia eccezione tre esegeti, per i quali non sconviene anche in questa sede il richiamo ai 'lumi' del loro secolo: Montesquieu [1728-29], con la genuina ammirazione rivelata dinanzi agli affreschi Ovetari; Goethe [1786], notando in quelle stesse 'storie' precorrimenti (peraltro dubbi) di Tiziano; l'abate Lanzi [1789], facendo giustizia delle remore sulla "durezza" mantegnesca.

Non grandi passi compiva il Cavalcaselle [1871], pur con le sue benemerenze filologiche, scorgendo in Andrea il necessario precedente del Carpaccio; mentre con Ch. Blanc [1860 c.] e altri si continuava ad addebitargli una primitività molto candida e moltissimo scorretta.

Quando il Mesnil pensava [1914] di attuare il recupero del Mantegna dimostrando con riga e compasso che, nelle sue prospettive, le linee di fuga convergono al punto debito e le figure poggiano sul piano giusto, il Berenson aveva ormai additato [1897], nel fanatico, 'ingenuo' e 'sconsiderato' fervore antiquario del maestro, il limite alla sua ispirazione e la causa della sua scarsa o nulla passionalità. Ciò che veniva respinto dal Fiocco [1926 e 1937], giacché l'astrazione mantegnesca sarebbe pienamente umana, e proprio il culto del mondo classico costituirebbe il mezzo per conseguire l'"equilibrio artistico" in un ambito "oltre la realtà" e con un vigore sconosciuto perfino ai sommi toscani. Concetti simili, che aveva in precedenza ventilati A. Venturi [1914], ricevettero sviluppo da parte del Coletti [1953 e 1959] e di vari epigoni; con i quali la figura del padovano acquisiva lineamenti sempre più 'antichi', addirittura 'cesarei', e al tempo stesso disponibili per le più eterogenee implicazioni sentimentali, psicologiche, stilistiche, culturali, spazianti dall'eroismo alla tenerezza, dall'orgoglio alla cordialità, dal gelo all'incandescenza, dal classicismo al romanticismo, dalle nostalgie comunali e imperiali alla condanna del feudalesimo, dal gotico più tenace all'umanesimo più precoce, dalla fantasia più sbrigliata alla logica più ferrea.

Fu l'apice attinto dalla celebrità del Mantegna; e lo coronò la mostra di Mantova (1961), mirante fra l'altro a ribadire quale fosse stata l'importanza della sua 'lezione' in numerosi allievi e seguaci e ammiratori. Una schiera folta e illustre: oltre ai mal noti epigoni di Mantova (i figli stessi di Andrea, in ispecie Bernardino, morto nel 1480, e Samuele da Tradate, Raffaello Albarati, i fratelli Gerolamo e Francesco Corradi, menzionati nel testamento del maestro, Bartolomeo Sacchi, il Tondo, Luca Liombene e altri persino più fantomatici), comprendente — essa schiera — i veronesi Liberale, Francesco Bonsignori, Gianfrancesco Caroto, Domenico Morone; in Emilia, Lorenzo Costa, Francesco Raibolini detto il Francia, Boccaccio Boccaccino, Dosso Dossi e il Correggio; né solo quest'ultimo, dei massimi, ma — accanto a Tiziano — anche Giambellino e Raffaello; ancora, Melozzo da Forlì, Benvenuto Tisi detto il Garofalo, Paolo Veronese; e, attratti dalla grafica mantegnesca, il Dürer, Michael Pacher e Hubert Goltzius, Andrea Briosco detto il Riccio e Peter Vischer il Giovane (come si vede, non soltanto pittori, ma pure scultori), gli ornamentisti francesi del tardo '500, e giù giù sino ai preraffaelliti e ai simbolisti del secolo scorso, con Edward Burne-Jones e Gustave Moreau in testa.

Assieme a entusiasmi talora avventati, la rassegna mantovana favorì pure una serie di verifiche, intese a sfrondare (e, in qualche caso, a integrare) il *corpus* pittorico del Mantegna col rigore invocato dal Ragghianti fin dal 1937; a definire la reale portata del suo insegnamento, discernendo [Longhi] fra suggerimenti di genere tematico (cui realmente si dimostrarono aperti parecchi degli artisti menzionati sopra) e stimoli di ordine poetico (nel qual senso non rimane quasi nulla da registrare); infine, a isolare [*Id.*; Castelfranco; Camesasca], nel gran libro dell'opera mantegnesca, le pagine felici, molte volte sublimi, specialmente fitte nei capitoli di Padova e nei primi di Mantova, da quelle — finali — di maniera, o accademizzanti, talora inerti, sempre più di rado intercalate da vivaci riprese col protrarsi del soggiorno nella città dei Gonzaga.

. . .

Et certamente la natura Andrea
doctò di tante excelse et degne parte,
che già non so se più doctar potea;
perché de tucti i membri de tale arte
lo integro e chiaro corpo lui possede,
più che huom de Italia o delle externe parte.

. . .

Né mai huom prese o adoperò el penello
o altro stil, che de l'antichitade
cum tanta verità fusse quant'ello
chiar subcessore, né cum magiur beltade,
e se 'l dir non è troppo, ei lor avanzi,
l'excede tucta quella vetustade;
per cui io el pono a tucti quanti innanzi.

. . .

G. SANTI, *Cronaca rimata*, post 1482

... Mes. Andrea Mantinea, el primo homo de li disegni over picture che se retrova in tutta la macchina mondiale.

A. CREMA, *Cronaca manoscritta*, 1486

... le qualità di Policleto perdono il loro pregio, e non reggono al confronto di Andrea. Tu il vanto dell'Italia, tu la gloria dell'età nostra ...; a te la patria grata deve concedere alta lode, seconda solo a Livio. La pittura, orgogliosa del tuo ingegno, ha per te le porte sempre aperte; ti offre tutte le sue ricchezze, e ti spalanca le parti più riposte del suo santuario ...

BAPTISTA MANTUANUS (G. B. Spagnuoli), *Sylvarum libri* (1499 c.), 1502

La nostra Italia ha un uomo celeberrimo, ... Andrea da Padova, detto Mantegna, che mostrò ai posteri ogni regola e genere di pittura e non solo supera tutti nell'usare il pennello, ma disegna in un batter d'occhio a penna o a carboncino figure di uomini e di animali, di ogni età e genere, e inoltre costumi, abiti, gesta di nazioni diverse, che sembra quasi si muovano. Credo che egli sia superiore non solo ai moderni ma anche agli antichi ...

C. LEONARDI, *Speculum lapidum*, 1502

Chi fu il pittore delle cose, o lo scultore di esse non so, ma forse ne fu autore il grande Apelle, dalla cui progenie viene il nostro Mantinea, dal quale, come si apprende dagli scritti di Seraffo, discenderà un altro grandissimo pittore chiamato dalle genti di Padova Mantegna; del quale ancor piccolo la nostra Mantova si impossesserà; mirabile per il disegno e per il colore; il quale vivrà sotto Francesco soprannominato Turco [Francesco Gonzaga] e dipingerà le azioni di Cesare trionfante, in cui si trova la perfetta arte dei pittori antichi ...

T. FOLENGO (Merlin Cocai), *Macaronea XIII*, 1517

... ebbe sempre opinione Andrea che le buone statue antiche fussino sempre più perfette e avessino più belle parti che non mostra il naturale ... E si conosce di questa openione essersi molto compiaciuto nell'opere sue, nelle quali si vede in vero la maniera un pochetto tagliente e che tira talvolta più alla pietra che alla carne viva ...

Mostrò costui col miglior modo come nella pittura si potesse fare gli scorti delle figure al di sotto insù, il che fu certo invenzione difficile e capricciosa ...

G. VASARI, *Le vite*, 1568[2]

Il Mantegna è stato il primo che in tal arte [la prospettiva] ci abbia aperti gli occhi, perché ha compreso che l'arte della pittura senza questo è nulla. Onde ci ha fatto vedere il modo di far corrispondere ogni cosa al modo di vedere come nelle opere sue, fatte con grandissima diligenza, si può osservare.

G. P. LOMAZZO, *Idea del tempio della pittura*, 1590

... ben che quest'uomo riuscisse alquanto duro e asciutto di maniera, ciò non fu per altro che a cagione dell'esser egli nato e fiorito in quei tempi ne' quali ancora la tenerezza era poco cognita ... anzi, per il medesimo caso Andrea si rese maggiormente riguardevole, essendo aggiustatissimo, per altro, in tutto ch'appartiene al disegno, simetria e altre molte prerogative ...

L. SCARAMUCCIA, *Le finezze de' pennelli italiani*, 1674

... Questa piccola stanza [la cappella privata di Innocenzo VIII, dipinta dal Mantegna in Vaticano e demolita nel 1780] ... merita nulladimeno attenzione per le rare pitture delle quali è ricca in ogni sua parte, potendovi la moderna pittura, tuttoché sfarzosa di nuovi ritrovamenti nelle composizioni, ne' panneggiamenti, nell'armonia e strepito de' colori; potrà, dico, da queste egregie pitture prender esempio di straordinaria leggiadria, di esattezza e di somma grazia.

A. TAJA, *Descrizione del Palazzo Apostolico Vaticano* (1712), 1750

In una cappella della chiesa degli Eremitani [a Padova], da un lato il Martirio di san Cristoforo, e, dall'altro, quello di san Giacomo, opera d'Andrea Mantegna, padovano; lavoro eccellente per le meraviglie della prospettiva.

C. DE MONTESQUIEU, *Voyage de Gratz à la Haye*, 1728-29

Nella chiesa degli Eremitani ho visto alcuni dipinti del Mantegna, uno dei più antichi, che mi colmò di meraviglia. Che sicura e precisa spontaneità in questi dipinti! Dalla considerazione di codesta realtà, così autentica e non soltanto apparente, preoccupata, sì, degli effetti e ispiratrice della fantasia, ma severa, pura, chiara, ampia, impegnata, delicata, precisa, che ad un tempo aveva alcunché di rigido, di studiato, di impacciato, forse, si sono formati gli artisti posteriori, come ho potuto vedere nei quadri di Tiziano, e solo in questo modo la vitalità del loro talento, la forza della loro natura, illuminata dallo spirito dei predecessori, animata dalla loro forza, hanno potuto tendere sempre più verso l'alto, sollevarsi quasi da una dimensione terrena, produrre creature divine e nel contempo vere.

W. GOETHE, *Italienische Reise*, 1786

È una meraviglia [nella *Madonna della Vittoria*] a vedere carnagioni sì delicate, armature sì lucide, vesti sì ben cangianti, frutta aggiunte per ornamento, freschissime e rugiadose. Ogni testa può servire di scuola per la vivacità e pel carattere, e alcune anco per la imitazione dell'antico; il disegno tutto, sì nel nudo, sì nel vestito, ha una pastosità che smentisce l'opinione più comune, che stil mantegnesco e stil secco sieno una stessa cosa. Vi è poi un impasto di colore, una finezza di pennello, e una grazia sua propria, che a me pare quasi l'ultimo passo dell'arte prima di giungere alla perfezione che acquistò Leonardo.

L. LANZI, *Storia pittorica della Italia*, 1796

*11*

... a me è avviso che il Mantegna, dopo conosciuto la falsa via in che si era messo [con le prime 'storie' Ovetari], non cercasse più nelle sue opere che di ritrarre il vero e il morbido della natura viva; e se pure nella più parte di quelle non interamente si spogliasse d'una certa strettezza di vesti con pieghe un po' rettilinee; d'un colorito spesso traente al gialliccio; e di quella soverchia e quasi smisurata gastigatezza di contorni, che alcuna volta rendono la sua maniera un po' tagliente, bisogna sempre riferire questi peccati alla sua prima istruzione ... e credo andasse tant'oltre nella perfezione dell'arte, che poco gli rimanesse a fare per apparir tutto netto e senza falli.

F. RANALLI, Storia delle belle arti in Italia, 1856²

Mantegna da principio mostra una totale assenza di quel sentimento per il tono che è così seducente in Giovanni Bellini. Contrasta le sue tinte secondo principi scientifici: un colore bilanciato con cura da un altro, accordandosi alle leggi dell'armonia. Ma non ha l'animo del colorista e non è in grado di produrre la profondità mediante impercettibili sfumature e nella sua impietosa severità è il precursore del Carpaccio.

J. A. CROWE - G. B. CAVALCASELLE, A History of Painting in North Italy, 1871

Per il Mantegna, l'Antichità significò ... qualcosa di profondamente differente da quello che essa era per i fiorentini di allora, e da quello che è per noi, oggi. E se mai si presentò un'occasione adatta all'uso della parola 'romantico', intesa come la nostalgia di uno stato di cose che in realtà non è, ma che è suscitato da evocazioni d'arte e di letteratura: 'romantico' fu il modo con cui il Mantegna intese l'Antichità ...

Anche la *Crocifissione*, la *Circoncisione*, l'*Ascensione*, temi che pure offrono preziose occasioni di emozione specificamente cristiana, non furono per il Mantegna che pretesti per descrivere il mondo antico ... In qualità di Illustratore, egli volle essere assolutamente romano.

Se fosse riuscito in tale intento, oggi potremmo forse dimenticarlo, nonostante l'ammirazione che per tre secoli gli tributò un'Europa superlatinizzata. Le sue ricostruzioni dell'antico, infatti, non ci occorrono più, poiché abbiamo una conoscenza quasi scientifica dei caratteri e degli aspetti della Roma che abbagliò la sua fantasia ...

Il Mantegna ci interessa ancora come Illustratore proprio in quanto mancò il suo scopo, dando — invece di una trascrizione archeologicamente esatta dell'antica Roma — il frutto del proprio 'romanticismo': la Roma che sognava, la visione ch'egli aveva di un'umanità nobile, che vive in un ambiente di altissima nobiltà.

B. BERENSON, North Italian Painters of the Renaissance, 1897

Al geniale artista non poteva mancare, anche nei quadri di soggetto religioso, la possibilità di trovare forme nuove e profondamente espressive. Ma nei suoi sentimenti più intimi egli doveva allontanarsi sempre più dallo spirito cristiano e religioso; mentre aumentava il suo entusiasmo per gli antichi e studiava in modo più profondo le loro forme, il suo spirito e la sua possibilità sensoriale di individuare la raffigurazione si completavano con la creazione del mondo antico quale gli si veniva rivelando. Se nelle opere iniziali, per così dire, si avvicinava allo spirito eschileo, nelle più tarde si manifesta sempre

più la concezione euripidea della tragicità: la presa di posizione della volontà umana di fronte all'ineluttabilità del destino.

P. KRISTELLER, Andrea Mantegna, 1902

... il disegno del Mantegna rimane sempre grande, nitido, puro, nobile, dottissimo. Non cerca le comode seduzioni dei contorni nobili e fusi, le facili delicatezze delle mezze tinte, ma traduce sempre con fedeltà incisiva e arditezza il pensiero dell'artista, senza incertezze, con forza, con solchi profondi e originali, senza curarsi affatto di comparir secco e duro.

L. TESTI, La storia della pittura veneziana, 1909

Il fondatore della pittura umanistica dell'Italia settentrionale iniziò la sua opera pieno di fervore per l'antico. Con l'antico romanzò le forme donatelliane, ne ridusse men complessa la composizione e ne temperò il movimento. Naturalista senza scrupoli, volle tuttavia aggrandire la natura, afforzarla perché stesse all'unisono con le immagini poderose dell'antichità. L'iconografia mantegnesca è quindi tutta composta dapprima di elementi di gravità ferrea, di profondo silenzio, d'imperio ...

Negli ultimi anni stese le braccia cadenti all'immagine giovanile della bellezza ... Dall'antico non trasse più se non le raffinatezze che si disegnano ne' grandi cammei imperiali per ornarne la cappella in Sant'Andrea, dov'egli guarda ancora nel bronzo, cinto dal lauro raccolto nel Trionfo di Cesare.

A. VENTURI, Storia dell'arte italiana - Pittura del Quattrocento, 1914

... crebbe il Mantegna, accanto agli altri squarcioneschi; e molto si dibatté di certo fra tutti come si dovesse intendere l'arte di quei fiorentini sottili e violenti, che sembravano modellare la creta con la stessa sbadata sicurezza che Iddio Padre medesimo aveva adoperato sull'uomo; creare un'idolatria sulla materialità dei fatti era il più naturale per quelle menti anarchiche e appassionate; soltanto si era incerti quale di quei fatti occorresse idolatrare: Mantegna credette di sceglierne la fonte presunta e vantata: l'antichità classica; e se ne creò rapidamente una disperata e sottile dogmatica, non meno immaginaria di quella che il veneto Piranesi, tre secoli dopo, caverà dalle antichità romane e soprattutto dalla sua immaginazione. È dubbio infine se Andrea si sia invaghito più della materia del marmo medesimo, o della forma in cui esso si era configurato negli esempi antichi che gli venivano alle mani; ma io propendo a credere che la prima abbia prevalso, se si rifletta che a contorno di quei suoi uomini lapidei immaginò una natura anch'essa del tutto archeologica, fossile almeno.

Così la grammatica del Mantegna, con tutta l'intenzione di esser classica, fu del tutto anticlassica ...

R. LONGHI, "Vita artistica", 1926

... Negli affreschi della chiesa degli Eremitani il ragazzo diciottenne ... è il primo e il più grande degli pseudo-classicisti, e, mentre egli guarda interiormente a un mondo di sua propria creazione, questo distacco dall'umanità è il solo a rendere possibile l'immacolatezza del disegno. È perfetto, con una simmetria piuttosto stretta, con tendenza all'idea di basso-rilievo scolpito, adottato apertamente in alcune delle sue tele: il disegno è perfettamente raffinato, mai plastico a pieno rilievo; i colori stimolano per il contrasto sottile piuttosto che commuovere per la profondità. Le sue scene religiose sono prive di

*12*

compassione, i protagonisti distanti da noi nella loro orgogliosa austerità, benché le loro sofferenze siano tracciate con precisione paurosa. E così è nell'ultima grande serie, i *Trionfi di Cesare*, a Hampton Court, che il suo genio tocca la piena espansione. Il suo stesso orgoglio trova il suo ritmo più geniale nel fasto di una processione vittoriosa, e questa serie di nove pannelli, una delle più accurate ricostruzioni, è forse la più commovente espressione di quel sogno di romana grandezza che continuò a ossessionare gli artisti d'Europa per oltre tre secoli.

P. Hendy, *The Isabella Stewart Gardner Museum. Catalogue of the Exhibited Paintings and Drawings*, 1931

... il Mantegna, per il quale il risultato formale, l'arte, nascono come è evidente da una serie di premesse sistematiche, da una rigorosa, selezionata, convinta 'poetica', tanto che, fuori dalla poesia, non è dato incontrare nella sua opera episodi di passionalità non sorvegliata, slanci sensuali o naturalistici o descrittivi che lo trascinino fuori della 'forma' ... è il più conseguenziale e sorvegliato artista del '400.

C. L. Ragghianti, "Critica d'arte", 1937

... [negli affreschi della cappella Ovetari] la conquista delle forme intese plasticamente e dell'ambiente inteso geometricamente si risolve al di là di ogni suggestione scientifica, nella traduzione, e quindi nel superamento della forma per mezzo del colore costruttivo, e della prospettiva lineare per mezzo di quella aerea. E così nasce l'arte moderna ...

Spirito logico, fatto per trarre dalle esperienze del rinascimento, che erano le più alte, le massime conseguenze, se attraverso ad esse seppe in breve tempo superare il tritume disegnativo, residuo della tradizione gotica, prediletta nella sua terra, seppe d'altro canto valersi delle leggi della prospettiva, intese anch'esse, quale fu sempre, al dire di Baudelaire, la buona retorica per i veri poeti, al fine di ottenere ritmi più ampi e più conseguenti; armonizzando dapprima quadro con quadro, poi interi cicli di pitture ...

G. Fiocco, *Mantegna, La cappella Ovetari nella chiesa degli Eremitani*, 1946

... Il genio del Mantegna esplose con una violenza straordinaria: a seguirne lo sviluppo sulle pareti della cappella Ovetari ... si ha l'impressione di una sensibilità pronta ad assimilare tutti gli apporti in unità di stile precisa e categorica: egli accoglie e fa sue tutte le conquiste della Rinascenza toscana, filtrandole attraverso una coscienza umanistica che si chiude in un rigore archeologico, accettando in pari tempo i primi echi ferraresi dello spazio misurato da Piero ed il naturalismo di un Roger van der Weyden. Quel che più stupisce in Mantegna è la creazione di un linguaggio plastico di una logica quasi spietata ... A metà Quattrocento il Veneto, e con il Veneto l'Italia settentrionale, nella cappella Ovetari trova un punto di riferimento che sarà normativo per lo svolgimento di una cultura artistica in senso nuovo, rigorosamente umanistico, basata sull'esperienza della Rinascenza toscana.

R. Pallucchini, *La pittura veneta del Quattrocento*, 1946-47

... I marmi antichi gli rappresentavano un tipo di bellezza nobile, incorruttibile, perenne; e il suo fervore per essi venne felicemente a innestarsi sull'impostazione scultorea che Dona-

tello aveva dato alla nascente scuola pittorica locale. In realtà, senza l'insegnamento toscano, gli sarebbe mancata la forma in cui esprimere la sua visione. Dall'insegnamento toscano gli derivò la nervosità del contorno e la solidità dell'impianto. E come i toscani seppe essere semplice e monumentale, quando guardò alla natura ...

L. Vertova, *Mantegna*, 1950

... Mantegna e Dürer, con intenzione e risultato diverso, hanno sempre un vago sentore di compromesso, sia pure altissimo, classico-romantico.

M. Marangoni, *Saper vedere*, 1950

... Qual era lo scopo che si proponeva il Mantegna? Oggi, parlando di prospettiva, dopo che Cézanne e i suoi successori hanno operato la dissoluzione della sua struttura classica, il darne un'idea esatta appare così privo d'interesse che difficilmente comprendiamo come esso potesse allora costituire la finalità precipua di un giovane artista ... Il Mantegna faceva parte della piccola cerchia di tali pionieri; e anzi, secondo il Lomazzo, ebbe persino in animo di scrivere un trattato sulla prospettiva. Del resto, è attraverso l'impostazione prospettica che in questi affreschi [della cappella Ovetari] tutti gli spettatori portano nella composizione la loro presenza, la loro bellezza e giovinezza, assumendo però nel contempo un'importanza nuova. Possiamo considerare tutto ciò il risultato di una logica responsabilità, dato che essi occupano quel posto che fu loro assegnato secondo necessità. In essi non vi è dunque nulla di casuale, e la loro presenza ha funzione chiarificatrice delle norme che regolano l'arte.

E. Tietze-Conrat, *Mantegna*, 1955

Fu ... la ricerca di un equilibrio antico, la nostalgia per un'umanità eroica e composta, a trarlo su altra via da quella percorsa dai ferraresi, e la sicura valutazione del senso dell'individuo entro il sistema di storicizzazione che egli andava tentando, a salvarlo da quegli eccessi di sfoggio culturale insorti nel suo tempo e nel suo ambiente, quali il Sogno di Polifilo. E fu proprio l'indagine del dato reale l'antidoto per il Mantegna all'erudizione e alla retorica: alla base della costruzione delle sue immagini è sempre un esame analitico addirittura minuzioso delle forme naturali. Il processo di astrazione di quei piani e di quei profili che le determinano, bloccandone ogni movimento e ogni divenire, è scoperto nella faticosa elaborazione; e l'immagine, per la meditata evidenza della sua genesi, risulta tanto più potente.

R. Cipriani, *Tutta la pittura del Mantegna*, 1956

[La Camera degli Sposi:] questo ritratto suddiviso in alcuni grandi riquadri, anzi questo romanzo narrato in alcuni capitoli, in cui tutti i Gonzaga, principi, donne, adolescenti, giovinette, prelati, entrano come personaggi, con i loro pensieri politici e i loro piaceri. Si ammira un'arte di psicologo sommo, che penetra nelle anime, le distingue sui volti, ma lasciandole integre ...

G. Piovene, *Viaggio in Italia*, 1957

... Una classicità ... che le leggi nuove della prospettiva e dell'armonia compositiva rendono attuale, in cui ogni tensione drammatica si equilibra in serena solennità, e che l'animo appassionato del Mantegna scioglie da una formale aridità marmorea.

P. Lecaldano, *I grandi maestri della pittura italiana del Quattrocento*, 1957

Il periodo padovano del Mantegna, quello della prodigiosa giovinezza, è tutto dominato dagli entusiasmi per il linguaggio rinascimentale, allora una novità per l'ambiente padano, e dalla volontà di assimilarlo; ebbrezza di riconoscere la verità naturale soprattutto nei suoi aspetti volumetrici, secondo i suggerimenti e gli esempi dell'antichità. L'istanza realistica e quella culturale in funzione una dell'altra : realismo archeologico. E anche quando l'archeologia non è nel tema stesso o negli episodi o ornamenti che, magari anacronisticamente, il pittore v'introduce, egli si studia di archeologizzare la sua rappresentazione proprio mediante l'accentuazione, talora esasperata, della plasticità ... Onde il fascino arcano di quelle opere aspre, imperiose e conturbanti.

L. COLETTI, *La Camera degli Sposi del Mantegna a Mantova*, 1959

... C'è ... il Mantegna che cava i suoi personaggi da blocchi pietrigni delle cave che ama rappresentare nei suoi quadri come simbolo delle sue preferenze, non soltanto nella *Madonna delle Cave*, ma anche in uno scomparto della Camera degli Sposi, ma c'è anche il Mantegna che evade da ogni forma rinascimentale nel senso toscano, per rappresentare in primo piano figure dimezzate, quasi ad indicare illusionisticamente la direzione della scena, come i maestri fiamminghi ai quali pure rimanda la eccelsa e folta rappresentazione delle città sul crinale del monte ... Queste architetture dei fondi del Mantegna andrebbero quindi isolate e studiate anche in rapporto al formarsi in Vicenza, cioè nel contiguo territorio padovano, di quella architettura di intonazione classicheggiante che ha nel Palladio il suo più grande interprete, ma nel Mantegna il prologo eccitante.

S. BOTTARI, "Arte veneta", 1961

... quando il Mantegna giunge all'impresa della 'Camera picta' trova già precluso per sé il vero senso dell'ampia soluzione morale (per la parte più impegnativa egli si attiene anzi alla tecnica 'da tavola'), e persino l'esperimento illusionistico dell'oculo della volta, tanto vantato come precedente del Correggio (e non lo è che tematicamente), si conchiude con un palese insuccesso.

E non che dopo questi importanti lavori il Mantegna non abbia qualche ritorno di fiamma, qualche curiosa resipiscenza, ma è significativo che tenti di risolverli con un espediente tecnologico. Gli giungono evidentemente notizie dei begli effetti cromatici e atmosferici che i suoi vecchi cognati veneziani realizzavano ormai sui 'teleri' di Palazzo Ducale, ed anch'egli ama riprovarsi, ma in piccolo formato, nella tecnica della tempera su tela che nelle Madonne di Milano (Poldi-Pezzoli), di Bergamo, di Berlino (tutte opere tarde) o nel mirabile *Cristo benedicente* del 1493 a Correggio, sembra velare (ma non più che velare) la ossessione glittica sottostante.

R. LONGHI, "Paragone", 1962

... Per riprendere l'espressione di Berenson, non è che Mantegna 'romanizzi il cristanesimo' ambientandolo di suo arbitrio in un mondo che gli è decorativamente ed estrosamente congeniale, ma egli ricolloca i fatti del primo cristianesimo nel mondo loro proprio, che era il mondo romano, quello in cui esso era nato e in cui aveva sofferto la lunga e spasmodica tra-

gedia dei suoi primi secoli. Nel giovane Mantegna la romanità non è di sfondo, né è per se stessa il fine della raffigurazione; è uno dei due elementi dialettici del dramma.

... Le sue figure sono perfettamente conseguenti alle leggi della struttura del corpo umano e dei moti umani, ma non si sa da quale terra e da quale popolo provengano; sono nate in tutta una sua favola di atletismo antico ...

I suoi paesaggi sono di una grande copiosità di dati geologici, ma è sottratto ad essi l'elemento naturale primo, l'atmosfera, quella che Leonardo chiamerà 'prospettiva aerea' e 'prospettiva di spedizione' — l'inazzurrirsi e il diminuir di nitidezza delle forme del paesaggio nella distanza — che il Mantegna poteva aver notato in dipinti e miniature fiamminghe degli ultimi decenni, non si ha o si ha appena di raro, ove si determinino grandissime lontananze.

È, in conclusione, nelle ricerche del giovane Mantegna, una componente arcaistica mal definibile, ma alla quale non si deve aver timore di accennare ...

G. CASTELFRANCO, "Bollettino d'arte", 1962

Il libero disporsi delle figure in uno spazio svincolato dal rigore della prospettiva geometrica, la turgidezza delle forme e l'intenso smalto del colore ... sono le caratteristiche formali dello stile tardo del Mantegna ... Il tono eroico dei *Trionfi* assume nel *Cristo sul sarcofago* di Copenaghen una durezza di espressione quasi ferrarese : riaffiora in tutto il suo vigore la nativa forza plastica dello stile dell'artista, resa più patetica dal livido paesaggio e dal fermo equilibrio della struttura compositiva. Analoga è l'ispirazione che prende forma nel titanismo eroico del *San Sebastiano* della Ca' d'Oro : il tema di un dolore senza riscatto vi è svolto fino al suo estremo limite tragico nel contrasto tra l'interna energia che tende i volumi, arrovella le linee della gigantesca figura, e l'inesorabile astratta fermezza geometrica dell'angusto spazio architettonico ...

G. PACCAGNINI, *Mantegna*, "Enciclopedia universale dell'arte", 1963

... Ciò che veramente importa è la maniera della celebrazione archeologica, il processo per cui i resti antichi, come i declivi col loro armamentario classico-comunale di templi piramidi statue colossei e torri barbacani ponti porte blasoni, e i corrucciati personaggi, tutto — marmi mattoni foglie e carne — si rapprende nella sontuosità di una identica materia, più dura e compatta del diamante, gravemente coordinandosi in una gemmea fissità. Perché il risultato sia assoluto, i poggi d'agata, i vegetali mineralizzati, i corpi petrigni vengono immessi in uno spazio sancito con rigore dalla delineazione prospettica, e in un chiarore (d'aria non è il caso di parlare) filtrato attraverso lucidissimi cristalli che rendono tutto più remoto.

È un tale dominio, razionalmente e costantemente esercitato dal pittore, a imporre il suo mondo così fuori della vita e del tempo. Con questo non si nega l'apertura del Mantegna alle beltà naturali, alla tenerezza della maternità o ai vezzi dei bambini, al vigore elegante d'un cavallo o alla cordiale vivacità di un cane, o infine allo svariare del quotidiano borghese; ma ogni aspetto viene calato con stupenda coerenza nella densità di forme lapidee e immutabili, dove emozioni, nostalgie, inquietudini, aggressività e orgogliosissimi furori si placano in regolate armonie.

E. CAMESASCA, *Mantegna*, 1964

# Il colore
# nell'arte del
# Mantegna

*Nelle didascalie in calce alle tavole a colori, il numero arabo posto fra parentesi quadre dopo il titolo di ciascuna opera si riferisce alla numerazione dei dipinti adottata nel Catalogo delle opere (pag. 86-123). • Per ciascuna tavola si indica (in centimetri) la corrispondente dimensione reale (larghezza) del dipinto, o della parte di dipinto, in essa riprodotta.*

**TAV. I**    SAN MARCO  Francoforte sul Meno, Staedelsches Kunstinstitut  [n. 12]
Assieme (cm. 63,5).

**TAV. III**   AFFRESCHI DELLA CAPPELLA OVETARI  Padova, Chiesa degli Eremitani
Particolare dell'*Assunzione della Vergine* [n. 14 M]  (cm. 135).

**TAV. IV**   POLITTICO DI SAN LUCA   Milano, Brera
*Santa Scolastica* [n. 17 H]   e *San Prosdocimo* [n. 17 I]   (ciascuno cm. 37).

**TAV. V**    POLITTICO DI SAN LUCA  Milano, Brera
*San Benedetto* [n. 17 K]  e *Santa Giustina da Padova* [n. 17 L]  (ciascuno cm. 37).

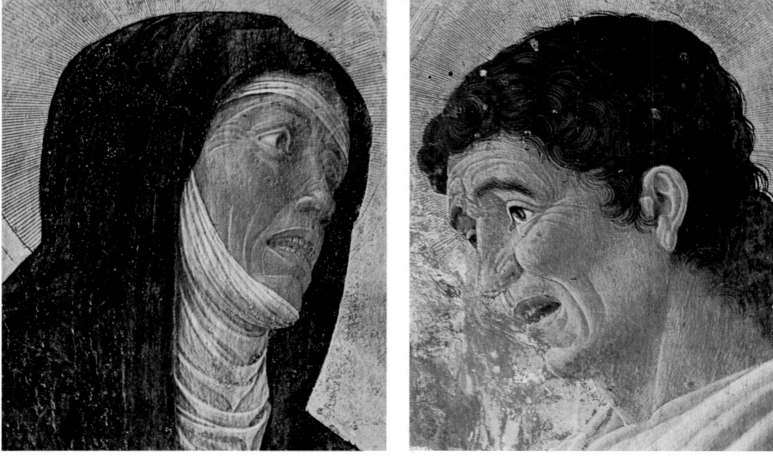

**TAV. VI**    POLITTICO DI SAN LUCA  Milano, Brera
Particolari di:  *Cristo* [n. 17 D],  *San Sebastiano* [n. 17 G],  *Addolorata* [n. 17 C]  e *San Giovanni Evangelista* [n. 17 E]  (ciascuno in grandezza naturale).

**TAV. VII** POLITTICO DI SAN LUCA Milano, Brera
Particolare del *San Luca* [n. 17 J] (cm. 33).

**TAV. VIII**   LA PRESENTAZIONE AL TEMPIO   Berlino, Staatliche Museen   [n. 38]
Assieme (cm. 86).

**TAV. IX**    LA PRESENTAZIONE AL TEMPIO  Berlino, Staatliche Museen  [n. 38]
Particolare (grandezza naturale).

SAN GIORGIO  Venezia, Gallerie dell'Accademia  [n. 41]
Assieme (cm. 32).

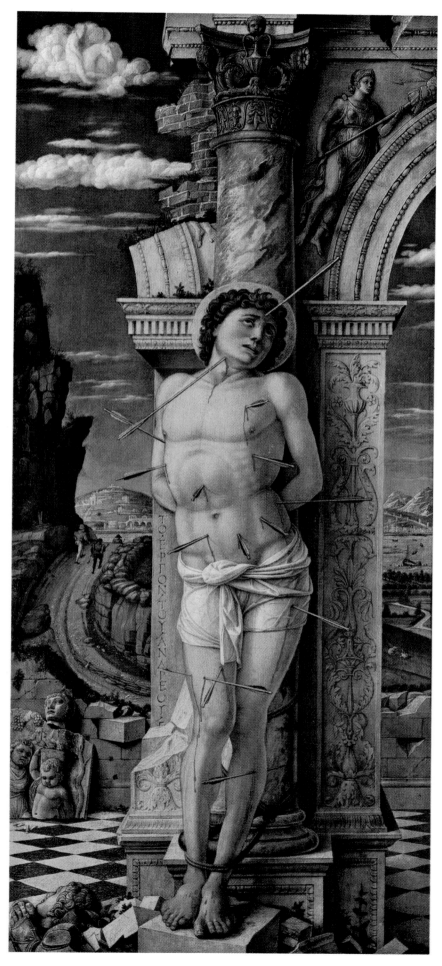

SAN SEBASTIANO   Vienna, Kunsthistorisches Museum   [n. 43]
Assieme (cm. 30).

**TAV. XII**    SAN SEBASTIANO  Vienna, Kunsthistorisches Museum  [n. 43]
Particolari (ciascuno in grandezza naturale).

**TAV. XIII**   SAN SEBASTIANO  Vienna, Kunsthistorisches Museum  [n. 43]
Particolari (ciascuno in grandezza naturale).

**TAV. XIV** LA PREGHIERA NELL'ORTO Londra, National Gallery [n. 22]
Assieme (cm. 80) e particolare (grandezza naturale).

**TAV. XV**   LA PREGHIERA NELL'ORTO  Londra, National Gallery  [n. 22]
Particolari (ciascuno in grandezza naturale).

**TAV. XVI**     LA PREGHIERA NELL'ORTO  Londra, National Gallery  [n. 22]
Particolare (grandezza naturale).

**TAV. XVII**   LA PREGHIERA NELL'ORTO   Londra, National Gallery   [n. 22]
Particolare (grandezza naturale).

**TAV. XVIII**    Predella dalla PALA DI SAN ZENO  Parigi, Louvre
Particolare della *Crocifissione* [n. 23 E]  (cm. 30).

**TAV. XIX**    Predella dalla PALA DI SAN ZENO  Parigi, Louvre
Particolare della *Crocifissione* [n. 23 E]  (cm. 30).

**TAV. XX-XXI** PALA DI SAN ZENO Verona, Chiesa di San Zeno
Assieme dei tre scomparti principali [n. 23 A, 23 B, 23 C] (ciascuno cm. 115).

**TAV. XXII**    PALA DI SAN ZENO  Verona, Chiesa di San Zeno
Particolare dello scomparto a sinistra [n. 23 A]   (cm. 53).

**TAV. XXIII**     PALA DI SAN ZENO  Verona, Chiesa di San Zeno
Particolare dello scomparto centrale [n. 23 B]  (cm. 63).

**TAV. XXIV**    PALA DI SAN ZENO  Verona, Chiesa di San Zeno
Particolare dello scomparto centrale [n. 23 B]  (grandezza naturale).

**TAV. XXV**    PALA DI SAN ZENO  Verona, Chiesa di San Zeno
Particolare dello scomparto centrale [n. 23 B]  (grandezza naturale).

TAV. XXVI    PALA DI SAN ZENO  Verona, Chiesa di San Zeno
Particolare dello scomparto a destra [n. 23 C]  (cm. 48).

SAN SEBASTIANO  Parigi, Louvre  [n. 56]
Assieme (cm. 142).

**TAV. XXVIII** SAN SEBASTIANO Parigi, Louvre [n. 56]
Particolare (cm. 41).

**TAV. XXIX**     SAN SEBASTIANO  Parigi, Louvre  [n. 56]
Particolare (cm. 41).

**TAV. XXX**    SAN SEBASTIANO  Parigi, Louvre  [n. 56]
Particolare (cm. 41).

**TAV. XXXI**     LA MORTE DELLA MADONNA  Madrid, Prado  [n. 34 E]
Assieme (cm. 42).

**TAV. XXXII**   LA MORTE DELLA MADONNA  Madrid, Prado  [n. 34 E]
Particolare (grandezza naturale).

'TRITTICO' DEGLI UFFIZI  Firenze, Uffizi
*L'Ascensione* [n. 34 A]  (cm. 42,5).

'TRITTICO' DEGLI UFFIZI  Firenze, Uffizi
*La Circoncisione* [n. 34 C]  (cm. 42,5).

**TAV. XXXVI**   'TRITTICO' DEGLI UFFIZI   Firenze, Uffizi
Particolari della *Circoncisione* [n. 34 C]   (ciascuno in grandezza naturale).

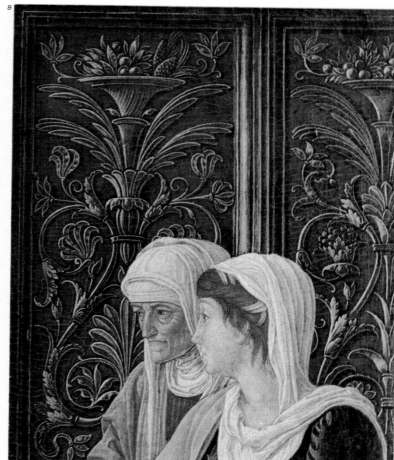

**TAV. XXXVII**    'TRITTICO' DEGLI UFFIZI  Firenze, Uffizi
Particolari della *Circoncisione* [n. 34 C]  (ciascuno in grandezza naturale).

**TAV. XXXVIII**   RITRATTO DEL CARDINALE CARLO DE' MEDICI  Firenze, Uffizi  [n. 39]
Assieme (cm. 29,5).

RITRATTO DI UN PRELATO DI CASA GONZAGA   Napoli, Gallerie Nazionali di Capodimonte   [n. 31]
Assieme (grandezza naturale).

**TAV. XL**    CAMERA DEGLI SPOSI  Mantova, Palazzo Ducale
*L'Incontro* [n. 51 C]  (cm. 300).

**TAV. XLI**    CAMERA DEGLI SPOSI  Mantova, Palazzo Ducale
Particolare dell'*Incontro* [n. 51 C]  (cm. 110).

**TAV. XLII**  CAMERA DEGLI SPOSI  Mantova, Palazzo Ducale
Particolare di *Famigli con cavallo e cani* [n. 51 A])  (cm. 160).

**TAV. XLIII**   CAMERA DEGLI SPOSI  Mantova, Palazzo Ducale
Particolare di *Famigli con cavallo e cani* [n. 51 A]) (cm. 160).

**TAV. XLIV-XLV**   CAMERA DEGLI SPOSI  Mantova, Palazzo Ducale
Particolare della *Corte* [n. 50]  (cm. 410).

**TAV. XLVI**   CAMERA DEGLI SPOSI  Mantova, Palazzo Ducale
Particolari della *Corte* [n. 50]  (rispettivamente: cm. 30, 25 e 60).

**TAV. XLVIII**    CAMERA DEGLI SPOSI  Mantova, Palazzo Ducale
L'oculo nel soffitto [n. 46]  (diametro cm. 270).

**TAV. IL**   CAMERA DEGLI SPOSI  Mantova, Palazzo Ducale
Particolare dell'oculo nel soffitto [n. 46]  (cm. 95).

**TAV. L**    MADONNA DELLE CAVE  Firenze, Uffizi  [n. 68]
Assieme (cm. 21,5).

**TAV. LI**   MADONNA COL BAMBINO E CHERUBINI   Milano, Brera   [n. 62]
Assieme (cm. 71).

**TAV. LII** MADONNA DELLA VITTORIA Parigi, Louvre [n. 93]
Particolari della zona superiore (ciascuno cm. 40).

**TAV. LIII**  MADONNA DELLA VITTORIA  Parigi, Louvre  [n. 93]
Parte centrale e inferiore (cm. 160).

CRISTO IN PIETA  Copenaghen, Staten Museum for Kunst  [n. 69]
Assieme (cm. 51).

MADONNA TRIVULZIO  Milano, Castello Sforzesco   [n. 94]
Assieme (cm. 214).

**TAV. LVI**   MADONNA TRIVULZIO  Milano, Castello Sforzesco  [n. 94]
Particolare (cm. 68).

**TAV. LVII**    DALILA E SANSONE  Londra, National Gallery  [n. 95]
Assieme (cm. 37).

**TAV. LVIII**     TRIONFO DI SCIPIONE   Londra, National Gallery   [n. 96]
Particolare (grandezza naturale).

**TAV. LIX**    TRIONFO DI SCIPIONE  Londra, National Gallery  [n. 96]
Particolare (grandezza naturale).

CRISTO MORTO   Milano, Brera   [n. 57]
Assieme (cm. 81).

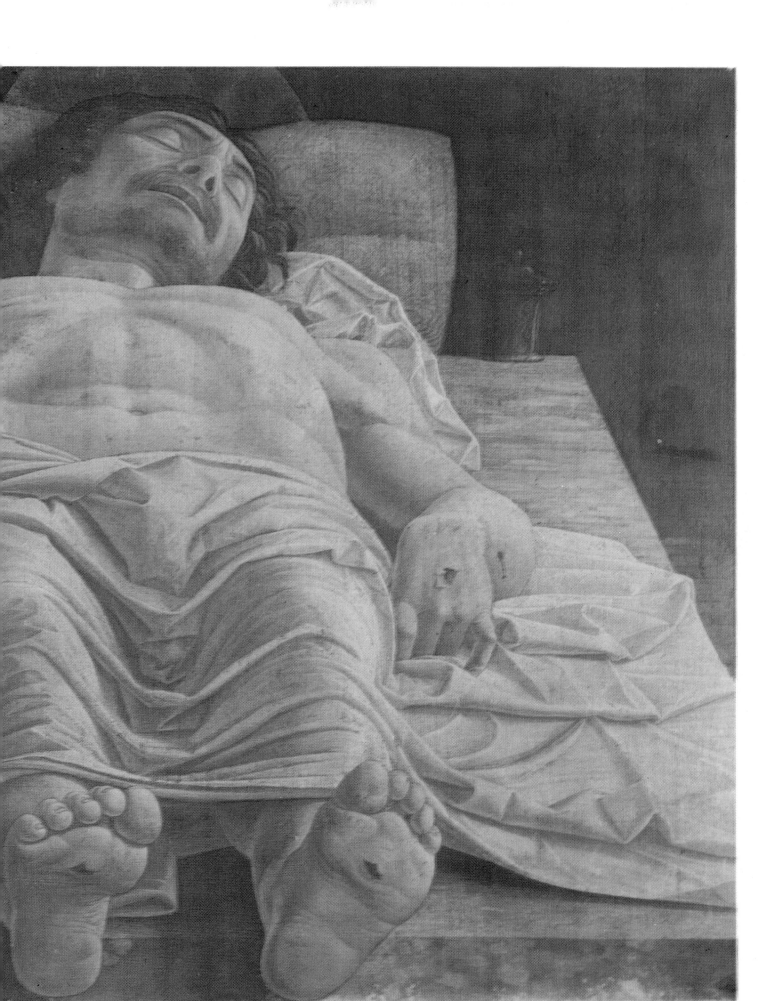

**TAV. LXII** IL PARNASO Parigi, Louvre [n. 91 A]
Particolare (cm. 31).

**TAV. LXIII**     IL PARNASO  Parigi, Louvre  [n. 91 A]
Particolare (cm. 31).

**TAV. LXIV**    IL TRIONFO DELLA VIRTÜ  Parigi, Louvre  [n. 91 B]
Particolare (grandezza naturale).

# Analisi
# dell'opera pittorica del
# Mantegna

Allo scopo di rendere immediatamente palesi gli elementi essenziali di ciascuna opera, l'intestazione di ogni 'scheda' porta, dopo il numero del dipinto (che segue il più attendibile ordine cronologico, e al quale si fa riferimento ogni qualvolta l'opera sia citata nel corso del volume), una serie di simboli, riferiti: 1) all'esecuzione del dipinto, cioè al suo grado di autografia; 2) alla tecnica; 3) al supporto; 4) all'ubicazione; 5) ai seguenti altri dati: se l'opera sia firmata, datata, se si presenti oggi completa in tutte le sue parti, se sia stata portata a termine. Gli altri numeri inseriti nella stessa intestazione riguardano, quelli in alto le dimensioni del dipinto in centimetri (altezza e larghezza), quelli in basso la sua datazione: quando tali dati non possono essere indicati con certezza, ma solo in via approssimativa, sono fatti precedere o/e seguire dalla stelletta *, a seconda che l'incertezza riguardi il periodo precedente la datazione indicata, quello successivo, o entrambi. Tutti gli elementi forniti registrano l'opinione prevalente nella moderna storiografia d'arte: ogni discordanza di rilievo e ogni ulteriore precisazione vengono dichiarate nel testo.

## 82 Esecuzione

⊞ Autografa

⊞ Con aiuti

⊞ Con collaborazione

⊞ Con estesa collaborazione

⊞ Di bottega

⊞ Prevalentemente attribuita

⊞ Prevalentemente respinta

⊞ Tradizionalmente attribuita

⊞ Recentemente attribuita

## Tecnica

⊗ Olio

⊗ Affresco

⊗ Tempera

## Supporto

⊗ Tavola

⊗ Muro

⊗ Tela

## Ubicazione

⋮ Località aperta al pubblico

⋮ Collezione privata

⋮ Località ignota

⋮ Opera perduta

## Dati accessori

▤ Opera firmata

▤ Opera datata

▤ Opera incompleta o frammento

▤ Opera non finita

⊞ ⊗ ▤
Indicazioni fornite nel testo

# Bibliografia essenziale

Per le notizie documentarie — oltre a G. VASARI [Le vite, Firenze 1550 e 1568], M. A. MICHIEL [Notizie d'opere del disegno, 1523-43], B. SCARDEONE [De antiquitate urbis Patavii, Basilea 1560], I. DONESMONDI [Dell'istoria ecclesiastica di Mantova, Mantova 1612-16] e G. CAMPORI [Raccolta di cataloghi ..., Modena 1870] — si vedano: V. LAZZARINI (e A. MOSCHETTI) ["NAV" (per questa e le altre abbreviazioni si consulti la tabella qui sotto) 1908], E. RIGONI ["AIV" 1927-28; "AV" 1948], per il periodo padovano; C. D'ARCO [Delle arti e degli artefici di Mantova, Mantova 1857], A. BASCHET ["GBA" 1866], W. BRAGHIROLLI ["GEA" 1872; Lettere inedite di artisti del sec. XV cavate dall'Archivio Gonzaga, Mantova 1878], C. BRUN ["ZK" 1876], A. LUZIO ["E" 1899; La galleria dei Gonzaga venduta all'Inghilterra nel 1627-28, Milano 1931], G. GEROLA ["AIV" 1908-09] e A. LUZIO -

E. PARIBENI [Il Trionfo di Cesare di Andrea Mantegna, Roma 1940], per il soggiorno a Mantova.

Fra gli studi moderni di carattere generale o concernenti l'attività pittorica vanno ricordati quelli di: G. A. MOSCHINI [Della origine e delle vicende della pittura in Padova, Venezia 1826], (J. A. CROWE e) G. B. CAVALCASELLE [A History of Painting in North Italy, London 1871], B. BERENSON [Italian Pictures of the Renaissance, New York-London 1897 e Oxford 1953], C. YRIARTE ["GBA" 1895], P. KRISTELLER [Andrea Mantegna, London 1901 e Berlin-Leipzig 1902; "RDA" 1909], F. KNAPP [Andrea Mantegna, Stuttgart-Leipzig 1910], A. VENTURI [Storia dell'arte italiana, VII 3, Milano 1914]; G. FIOCCO [L'arte di Andrea Mantegna, Bologna 1927 (ma 1926) e Venezia 1959; Mantegna, Milano 1937; La Cappella Ovetari, Milano 1953], R. LONGHI ["VA" 1926; "Pan" 1934; "P" 1962], C. L. RAGGHIANTI ["CA" 1937, e 1962], V. MOSCHINI [Gli affreschi del Mantegna agli Eremitani, Bergamo 1946], L. VERTOVA [Mantegna, Firenze 1950], M. DAVIES [National Gallery Catalogue - The Earlier Italian Schools, London 1951 e 1961²], L. COLETTI [La pittura veneta del '400, Novara 1953], E. TIETZE-CONRAT [Mantegna, London 1955, e Firenze 1955], R. CIPRIANI [Tutta la pittura del Mantegna, Milano 1956 e 1962³], R. PALLUCCHINI [La pittura veneta del '400, Padova 1956-57], L. COLETTI - E. CAMESASCA [La Camera degli Sposi del Mantegna a Mantova, Milano 1959], G. PACCAGNINI - A. MEZZETTI [Andrea Mantegna (Catalogo della mostra di Mantova), Venezia 1961], E. ARSLAN ["C" 1961], S. BOTTARI ["AV" 1961], G. CASTELFRANCO ["BA" 1962], C. GILBERT ["BM" 1962], G. PACCAGNINI [Andrea Mante-

gna, Milano 1962] ed E. CAMESASCA [Mantegna, Milano 1964].

Quanto alle altre attività artistiche, rivestono particolare interesse gli studi di: A. BARTSCH [Le Peintre-Graveur, XIII, 1811], K. CLARK ["BM" 1932], A. M. HIND [Early Italian Engraving, London 1948], A. E. POPHAM - P. POUNCEY [Italian Drawings in the Department of Prints and Drawings in the British Museum, London 1950], L. GRASSI [Il disegno italiano, Roma 1956], A. MEZZETTI ["BA" 1958], oltre ai suddetti di FIOCCO [1937], TIETZE-CONRAT [1955], MEZZETTI [1961], LONGHI [1962], RAGGHIANTI [1962] e CAMESASCA [1964], per la grafica; G. FIOCCO ["RA" 1940] e G. PACCAGNINI ["BA" 1961], oltre ai suddetti di KRISTELLER [1902], FIOCCO [1937], RAGGHIANTI [1962] e CAMESASCA [1964], per la scultura; C. YRIARTE ["CO" 1897], E. MARANI [in Mantova - Le arti, Mantova 1961] ed E. E. ROSENTHAL ["GBA" 1962], oltre ai suddetti di FIOCCO [1937] e RAGGHIANTI [1962], per l'architettura; A. BOVERO ["BM" 1957], M. MEISS [Andrea Mantegna as Illuminator, New York 1957] e G. FIOCCO ["P" 1958], oltre al suddetto di TIETZE-CONRAT [1955], per le opere 'minori'. Infine, circa la cultura del Mantegna, i rapporti con l'arte classica e le questioni relative alla prospettiva e all'iconologia: E. TIETZE-CONRAT ["JKS" 1917; "AB" 1949], E. PANOFSKY [Perspective als symbolische Form, Leipzig-Berlin 1927; "FF"], A. MOSCHETTI ["AIV" 1929-30], I. BLUM [Andrea Mantegna und die Antike, Strassburg 1936], F. HARTT ["AB" 1940; "GBA" 1952], E. WIND ["AB" 1949], A. M. TAMASSIA ["RPA" 1955-56], J. WHITE [The Birth and Rebirth of Pictorial Space, London 1957], P. D. KNABENSHE ["AB" 1959], M. MEISS ["AB" 1960] e G. L. MELLINI - A. C. QUINTAVALLE ["CA" 1962].

## Elenco delle abbreviazioni

A: "Apollo" (London-New York)
AA: "Art in America" (Springfield - New York)
AAM: "Arte antica e moderna" (Bologna)
AAV: "Atti dell'Accademia virgiliana" (Mantova)
AB: "The Art Bulletin" (Washington - Providence)
AIV: "Atti del R. Istituto veneto di scienze, lettere ed arti" (Venezia)
AQ: "Art Quarterly" (Detroit)
ASA: "Archivio storico dell'arte" (Roma)
ASL: "Archivio storico lombardo" (Milano)
AV: "Arte veneta" (Venezia)
BA: "Bollettino d'arte" (Roma)
BCM: "Bulletin of Cincinnati Museum" (Cincinnati)
BEM: "Berliner Museen" (Berlin)
BM: "The Burlington Magazine" (London)
BMP: "Bollettino del Museo ci-

vico di Padova" (Padova)
C: "Commentari" (Roma)
CA: "La critica d'arte" (Firenze)
CI: "Civiltà" (Milano)
CO: "Cosmopolis" (Paris)
D: "Dedalo" (Milano)
E: "Emporium" (Bergamo)
FF: Festschrift für M. J. Friedländer (Leipzig 1927)
GBA: "Gazette des Beaux-Arts" (Paris)
GEA: "Giornale di erudizione artistica" (Perugia)
JCD: "Jahrbuch der central Commission für Denkmalpflege" (Wien)
JKS: "Jahrbuch der kunsthistorischen Sammlungen in Wien" (Wien)
JPK: "Jahrbuch der preussischen Kunstsammlungen" (Berlin)
JWCI: "Journal of the Warburg and Courtauld Institute" (London)
K: "Kunstchronik" (München-Nürnberg)

L: "L'arte" (Roma-Torino-Milano)
LA: "Les Arts" (Paris)
MA: "Masterpieces of Art" (Washington)
MK: "Monatshefte für Kunstwissenschaft" (Leipzig)
N: "Napoli nobilissima" (Napoli)
NAV: "Nuovo archivio veneto" (Venezia)
OMD: "Old Masters Drawings" (London)
P: "Paragone" (Firenze)
PA: "Pantheon" (München)
RA: "Rivista d'arte" (Firenze)
RDA: "Rassegna d'arte" (Milano)
RPA: "Rendiconti della pontificia Accademia romana di archeologia" (Roma)
S: "Il Santo" (Padova)
V: "Vittorino da Feltre" (Brescia)
VA: "Vita artistica" (Roma)
ZK: "Zeitschrift für bildende Kunst" (Leipzig).

# Documentazione sull'uomo e l'artista

**1430 o 1431.** L'uno o l'altro di questi anni (specie il secondo) sono generalmente indicati dagli storici moderni per la nascita di Andrea Mantegna, sulla base della scritta che il pittore stesso avrebbe apposto sulla pala (distrutta [si veda anche *1448*; e *Catalogo*, n. 1]) per la chiesa di Santa Sofia a Padova e che fu registrata dallo Scardeone come segue: "Andrea Mantinea Pat[avinus] an[nos] septem et decem natus, sua manu pinxit MCCCCXLVIII". Quanto al luogo di nascita, gli si attribuisce di solito quello stesso dove vide la luce il fratello maggiore, Tommaso: Isola di Carturo, frazione di Piazzola sul Brenta, adesso nella zona provinciale di Padova, ma allora compresa nel territorio vicentino, donde la designazione del Mantegna come Andrea "de Vicentia", reperibile in alcuni documenti padovani. Circa la famiglia, è noto che suo padre, Biagio, era falegname; perciò sembra senz'altro da escludere l'origine contadina asserita dal Vasari [1550 e 1568].

**1441, 6 NOVEMBRE - 1445.** Entro questi termini viene registrato nella corporazione dei pittori di Padova come "fiuilo" (figlioccio) di Francesco Squarcione (1397-1468) "depentore": donde il nome di "Andrea Squarcione" con cui alcuni contemporanei designano il Mantegna. Dai documenti relativi alle vicende giudiziarie intercorse più tardi (si veda *1448*), l'adozione risulta avvenuta entro il 1442.

**1447.** Soggiorna a Venezia con lo Squarcione. Forse di quest'anno (ma la data appare assai incerta) è un sonetto laudativo dedicatogli dal notaio Ulisse Aleotti (ms. nella Biblioteca Estense di Modena).

**1448.** Del 26 gennaio è un compromesso stipulato a Venezia col patrigno, in seguito al quale il Mantegna acquista l'indipendenza e la facoltà d'incassare i propri guadagni (si veda anche *1445* e *1456*). A tale conseguimento, e alla stima ormai raggiunta in Padova, si sogliono collegare — come probabile frutto dell'operosità autonoma — la pala di Santa Sofia e il tono ("dipinse di mano sua") della scritta che la corredava (si veda *1430*). Il 16 maggio dello stesso anno, col 'compagno' Niccolò Pizolo (1421 c. - 1453), assume l'incarico di eseguire una parte dell'ornamentazione della cappella Ovetari nella chiesa degli Eremitani a Padova (si veda *Catalogo*, n. 14): altra considerevole prova dell'apprezzamento goduto nella città; così come l'incarico, conferitogli il 15 settembre, di valutare i dipinti di Pietro da Milano in San Giacomo, essendo il perito della parte avversa lo Squarcione stesso. Il 16 ottobre riceve un versamento per la pala di Santa Sofia.

**1449.** Il 23 maggio risulta a Ferrara. Del 27 settembre è l'arbitrato di Pietro Morosini che scinde la società fra il Pizolo e il Mantegna per i lavori nella cappella Ovetari (si veda *Catalogo*, n. 14, anche per tutti i successivi richiami a tale ciclo ornamentale).

**1450.** Muore Giovanni d'Alemagna che, col cognato Antonio Vivarini, aveva a sua volta assunto l'incarico relativo a una parte dei lavori nella cappella Ovetari.

*(Da sinistra) Presunto autoritratto giovanile nella* Presentazione al tempio *di Berlino (n. 38). - Probabile autoritratto nella* Camera degli Sposi *(n. 51 C). - Busto bronzeo raffigurante il maestro (forse modellato da lui stesso) nella cappella funebre in Sant'Andrea di Mantova.*

**1451.** Il 30 luglio viene saldato a Bono da Ferrara il pagamento relativo a una 'storia' dipinta nella cappella Ovetari. Entro il 27 novembre Antonio Vivarini abbandona l'ornamentazione della cappella stessa, e la restante parte da eseguire del lavoro che si era accollato con Giovanni d'Alemagna passa alla nuova società stretta (prima del 30 ottobre) fra il Mantegna e Ansuino da Forlì.

**1452, 21 LUGLIO.** Data apposta nella lunetta già sopra l'ingresso principale del Santo di Padova (*Catalogo*, n. 16).

**1453.** Il 25 febbraio Iacopo Bellini preleva alcuni anticipi su un pagamento dovutogli dalla Scuola di San Giovanni Evangelista a Venezia per versare una parte della dote di sua figlia Nicolosa, forse sul punto di andare in moglie (o appena sposatasi) al Mantegna.

Questi, il 1° agosto, riceve l'incarico di dipingere per i monaci di Santa Giustina a Padova il polittico ora a Brera (*Catalogo*, n. 17). Entro l'anno muore il Pizolo, e le zone che gli rimanevano da affrescare nella cappella Ovetari restano affidate all'ex socio.

**1454.** Data iscritta nella *Santa Eufemia* di Napoli (*Catalogo*, n. 18). Del 25 febbraio è un nuovo prelievo di Iacopo Bellini dalla Scuola suddetta, pure destinato alla dote della figlia. Nello stesso mese lo Squarcione e lo Storlato stimano i lavori eseguiti dal Pizolo nella cappella Ovetari. A novembre avviene il saldo per il polittico di Brera (si veda *1453*).

**1455.** Il 28 novembre Andrea Mantegna si rivolge al tribunale di Padova perché lo Squarcione gli paghi i dipinti eseguiti presso di lui, che il giovane dichiara del valore di "quattro-

cento ducati e più". Una sentenza arbitrale riconosce al Mantegna il diritto di venire rimborsato in ragione di soli duecento ducati, ma lo Squarcione vi si oppone.

**1456.** Il 2 gennaio la Quarantia Criminale di Venezia riconosce la legittimità delle ragioni addotte dal Mantegna contro lo Squarcione, dichiarando nulle le condizioni poste da quest'ultimo nel compromesso del 1448; tuttavia la bega giudiziaria fra i due si trascinerà fino al 1457. Verosimilmente entro l'anno il marchese Ludovico III Gonzaga, signore di Mantova, invita il Mantegna presso di sé come artista di corte; e l'offerta viene accolta (si veda *1457*).

**1457.** Già il 5 gennaio Ludovico Gonzaga scrive al pittore esprimendogli la propria soddisfazione per avere accettato di trasferirsi a Mantova, e autorizzandolo a terminare la pala per la chiesa di San Zeno a Verona (*Catalogo*, n. 23), che quindi doveva essere stata commissionata almeno l'anno prima. Il 14 febbraio Pietro da Milano sottoscrive la stima in favore del Mantegna circa l'*Assunzione* della cappella Ovetari (si veda *Catalogo*, n. 14 M); perito della parte avversa è ancora lo Squarcione (come risulta da un documento da lui firmato il 15 febbraio). Con una lettera del 27 novembre il marchese Gonzaga domandava all'abate di San Zeno se la pala suddetta fosse compiuta.

**1458.** Entro quest'anno (a partire dal 1454) l'umanista Iano Pannonio (cioè il vescovo ungherese Csezmicei) gli indiriz-

*Firme in dipinti del Mantegna: (a sinistra, sopra) nella* Preghiera nell'orto *di Londra (n. 22), (a sinistra, in basso) nel* Cristo sul sar-

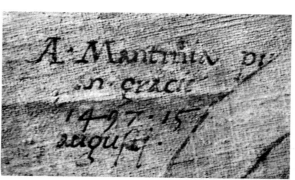

*cofago di Copenaghen (n. 69) e (a destra) nella* Sacra Conversazione *(Madonna* Trivulzio*) di Milano (n. 94).*

*L'originale della lettera inviata dal Mantegna alla marchesa Isabella d'Este Gonzaga il 13 gennaio 1506 (Mantova, Archivio di Stato).*

**84**

za un'ode per averlo effigiato assieme a Galeotto Marzio (*Catalogo*, n. 13). In data 15 aprile Ludovico III precisava le offerte per il trasferimento a Mantova: quindici ducati annui, alloggio, grano per sei persone, trasporto delle masserizie da Padova. Di fronte ai ritardi del pittore, il marchese interpella altri (forse Michele Pannonio a Ferrara; comunque il 26 dicembre sollecita di nuovo il Mantegna, che in ottobre aveva assunto, sempre a Padova, un apprendista per il periodo di sei anni, e in novembre aveva acquistato una casa nella stessa città.

**1459.** Il 30 gennaio Ludovico Gonzaga autorizza il Mantegna a usare una propria insegna (col motto "per un sol desir" [si veda *Catalogo*, n. 49 B]); il 2 febbraio e il 14 marzo gli concede altre proroghe (quella di marzo fa seguito a una lettera diretta al marchese stesso dal

podestà di Padova I. A. Marcello per chiedere che il Mantegna gli termini un'"operetta", sovente identificata col *San Sebastiano* di Vienna [*Catalogo*, n. 43]). È però probabile che, subito dopo, il pittore si sia recato a Mantova a predisporre il trasferimento e la nuova attività, visto che in data 4 maggio il marchese gli scriveva a Padova per rendere noto che la cappella in castel San Giorgio era stata "facta al modo vostro" (si veda *Catalogo*, n. 34). E ancora lo invitava a raggiungerlo, almeno "per uno zorno", il 29 giugno. Avanti la fine dell'anno viene terminata la pala di San Zeno.

**1460.** Entro luglio F. Nuvolone gli dedica un sonetto laudativo (ms. nella Biblioteca Estense di Modena). Almeno dal 7 agosto si trova a Mantova.

**1461.** Già a luglio si trova nuovamente a Padova, dove avrebbe raffigurato il *Compianto sul*

cadavere del *Gattamelata* (*Catalogo*, n. 25). Entro novembre ritorna a Mantova; e in questo stesso anno F. Feliciano compone un sonetto in suo onore.

**1463.** Il 13 gennaio lo stesso Feliciano gli dedica una raccolta di epigrafi antiche (ms. nella Biblioteca Capitolare di Verona). Da una lettera del 19 marzo risulta che Samuele da Tradate è intento a dipingere, nella residenza gonzaghesca di Cavriana, su disegni del Mantegna (*Catalogo*, n. 35). In ottobre il maestro dà inizio ai lavori per un'altra residenza dei Gonzaga, a Goito (*Catalogo*, n. 36), dove risulta presente ancora a dicembre.

**1464.** Documenti del 7 e 12 marzo comprovano la prosecuzione dei lavori di Cavriana (si veda *1463*). Il 26 aprile l'artista è a Goito (*id.*), da dove scrive al marchese Ludovico lamentando che non siano ancora pronte le cornici per le "ultime" tavole destinate "in la chapeleta": verosimilmente la stessa di cui si parlava già nel 1459. Il 23-24 settembre, assieme a F. Feliciano, Samuele da Tradate e l'architetto G. Antenoreo, il Mantegna compie una gita sul lago di Garda, nel corso della quale i quattro compagni, assunti gli attributi di *imperator*, *procurator* e *consules*, inghirlandati d'alloro e cantando al suono d'una cetra, ricercano lapidi latine ed elevano lodi alle divinità cristiane appellandole con termini paganeggianti. La veridicità della gita, quantomeno della relazione che ne stese il Feliciano (ms. nella Biblioteca Capitolare di Treviso), è posta in dubbio dalla Tietze-Conrat, la quale pensa si tratti d'un falso ottocentesco o tuttalpiù di una invenzione meramente letteraria; ma simili manifestazioni erano ben consone agli usi dell'età umanistica e, in genere, del basso Medioevo [Camesasca].

**1465.** La data "1465. d. 16. iunii" appare iscritta in uno sguincio della Camera degli Sposi (*Catalogo*, pag. 101). Il 5 dicembre, per ordine della corte mantovana, si predispone il materiale necessario a tessere un arazzo disegnato dal maestro.

**1466.** Il 1° marzo Ludovico Gonzaga scrive alla consorte Barbara del Brandeburgo, incaricandola di far copiare dal Mantegna un ritratto, forse di Bona di Savoia. Il 5 luglio l'artista è a Firenze, occupato — si vuole (ma senza sicuri fondamenti storici) — a dare consigli per il coro della Santissima Annunziata. In dicembre, già di ritorno a Mantova, sollecita sovvenzioni dal marchese Gonzaga per costruirsi una "chasetina".

**1467,** 3 LUGLIO. Di nuovo in Toscana, deve "finire de dipingiere" un'opera nel Camposanto di Pisa (*Catalogo*, n. 40).

**1468.** È ignoto dove si trovi il maestro nella prima metà dell'anno; comunque il 27 luglio, da Mantova, informa Ludovico Gonzaga di avere dato inizio a una "historia del Limbo" (ma si veda *Catalogo*, n. 34 G).

**1469.** Il segretario di Ludovico III informa la marchesa Barbara che il Mantegna ambisce a essere fatto conte; e, allora o dopo, il desiderio dovette venire appagato (si veda *1490*). L'11 luglio il Gonzaga richiede al maestro il disegno di due "galine de India" (cioè, tacchini) per un arazzo.

**1470.** I documenti relativi al Mantegna cominciano a infittirsi di lettere, suppliche, atti giudiziari ecc., riguardanti piccoli furti, veri o presunti, da lui subiti, schiamazzi da parte di vicini, scontenti procuratigli dal sarto, e simili. Il marchese gli risponde sempre con molta pazienza, prendendo le sue parti anche contro sudditi importanti che denunciano l'aspro carattere del maestro.

**1471,** 25 OTTOBRE. Il marchese Gonzaga richiede che si inviino al Mantegna "pesi tre de olio de nose"; generalmente, l'ordine viene collegato all'ornamentazione della Camera degli Sposi.

**1472.** In aprile dà forma grafica al progetto del marchese per il cortile di castel San Giorgio. In data 18 luglio il cardinale Francesco Gonzaga scrive al marchese Ludovico, suo padre, pregando d'inviargli il Mantegna alla Porretta, dove il presule fa la cura delle acque, perché esamini la propria collezione di gemme e bronzetti. Il 21 settembre l'artista risulta ospite del prelato. Con un atto del 20 novembre Ludovico III decreta il versamento di ottocento ducati al Mantegna perché acquisti un podere a Buscoldo (si veda anche *1478*).

**1474.** È l'anno iscritto nella targa dedicatoria nella Camera degli Sposi (ma si veda *Catalogo*, n. 51 B).

**1476.** Questa data è iscritta nella lapide apposta dal Mantegna (in un periodo imprecisabile fra il 1484 [si veda] e il 1502 [*id.*]) sulla propria casa mantovana presso San Sebastiano, a ricordo del fondo concesso dal marchese Ludovico per costruirla.

*La casa del Mantegna a Mantova, situata a fianco della chiesa di San Sebastiano (si veda pag. 122).*

**1477.** In data 6 luglio Ludovico III invita il maestro a eseguire le effigie di alcuni familiari assenti; la risposta è: "non si può fare bene dal naturale chi non à comodità di vedere". Nello stesso anno Paola, figlia del marchese stesso, va in sposa al conte di Gorizia; per l'occasione si eseguono quattro cassoni nuziali, variamente collegati a ideazioni del Mantegna.

**1478.** Del 13 maggio data una lettera del maestro al marchese Ludovico per lamentare che il versamento stabilito nel 1472 (si veda) non è ancora giunto a buon termine; il destinatario si giustifica adducendo la grave situazione delle proprie finanze. In ottobre Ludovico muore; poco dopo, il giorno 16, Federico, suo successore, scrive al Mantegna perché lo raggiunga a Gonzaga: il maestro, malato, non può dar seguito all'invito, espresso con tale sollecitudine (di cui testimoniano anche successive azioni del nuovo marchese) da garantire circa l'enorme prestigio di cui egli godeva alla corte di Mantova.

**1479, 21 MAGGIO.** Federico Gonzaga, scrivendo alla consorte dal campo di battaglia, durante la guerra di Toscana, tra le faccende più urgenti da sbrigare ricorda lo stipendio del Mantegna.

**1480.** L'11 maggio il marchese Federico raccomanda al celebre medico Gerardo da Verona un figlio del maestro gravemente malato. Il giovane muore poco dopo. In giugno, alla duchessa di Milano che si era rivolta ai Gonzaga per far riprodurre dal Mantegna "certi disegni de pentura", il maestro fa rispondere bruscamente di non essere "assueto pingere figure picole".

**1481.** Il 24 aprile si reca a Marmirolo per dare istruzioni all'architetto Antenoreo occupato nei lavori per quella residenza dei signori di Mantova. Entro l'anno Chiara Gonzaga, altra figlia di Ludovico III, sposa il conte de Montpensier, e verosimilmente porta con sé a Aigueperse il *San Sebastiano* ora al Louvre (*Catalogo*, n. 56).

**1483.** Per conto della corte di Mantova, in febbraio, fornisce vari disegni di recipienti preziosi all'orafo e bronzista G. M. Cavalli. Qualche tempo dopo Lorenzo il Magnifico visita il maestro, esternandogli ammi-razione per alcuni lavori eseguiti e per i 'pezzi' archeologici che aveva raccolti.

**1484.** In una lettera diretta il 25 febbraio dal vescovo Ludovico Gonzaga al prefetto di Roma Giovanni della Rovere, il maestro risulta impegnato a decorare un ambiente del Palazzo Ducale di Mantova (ma si veda *Catalogo*, n. 55). Del 26 agosto è una richiesta di sussidi inviata dal maestro a Lorenzo il Magnifico in Firenze, per la costruzione della casa presso San Sebastiano (si veda *1476*). Il 6 novembre Federico Gonzaga scrive alla duchessa di Ferrara, comunicandole che il Mantegna sta completando una "Madonna cum alcune altre figure", della quale la destinataria aveva ammirato l'abbozzo; l'opera (variamente identificata [*Catalogo*, n. 19 e 62]) dà luogo a parecchi solleciti, però il 15 dicembre risulta ancora incompiuta. Entro l'anno muore Federico Gonzaga, e gli succede il figlio Francesco.

**1486, 26 AGOSTO.** La serie dedicata al *Trionfo di Cesare* (*Catalogo*, n. 63) risulta ormai in via di stesura.

**1488.** Il 10 giugno Francesco Gonzaga scrive a papa Innocenzo VIII una lettera di presentazione del Mantegna, che

si accinge a raggiungere Roma. La data 1488 è stata rinvenuta su uno degli affreschi nell'atrio di Sant'Andrea a Mantova (*Catalogo*, n. 64).

**1489.** Il 31 gennaio l'artista scrive da Roma al marchese Gonzaga per raccomandare la conservazione dei 'pezzi' del *Trionfo di Cesare* fin allora compiuti, esprimendo la speranza di completare la serie. Del 15 giugno è un'altra sua lettera allo stesso: dai lavori per la cappella del papa (*Catalogo*, n. 65) ricava appena le spese vive, e "l'opera è grande ad homo solo che voglia avere honore, maxime ad Roma dove sono tanti judicii di homini da bene". Segue, nella stessa missiva, una descrizione di Gem, il fratello del sultano turco, che si trovava in ostaggio presso il pontefice; evidentemente il pittore vuol divertire l'illustre patrono conferendo al ritratto lineamenti caricati, che — per quanto se ne sa — non convengono all'infelice prigioniero: egli ostenta — dice il Mantegna — "una certa maiestà superba", il suo sguardo — che da altre fonti risulta sinistro — presenta una caratteristica per noi indefinibile ma senza dubbio ridicola ("un ochio che tra di stombechina [*sic*?]") e ha un'andatura da elefante; in capo porta "trenta millia canne di tela lodesana  e sembra che "Baco lo visiti spesse fiate"; avendo l'occasione di riprenderlo con calma, "subito lo mando dessignato alla Ex[cellen]cia V[ostra]; el manderia al presente: [ma] non lo ho ancora ben accolto, perché quando el fa uno sguardo quando un altro, *proprie* da innamorato, in modo che io no 'l posso pigliare in memoria". Il 16 dicembre Francesco Gonzaga, prossimo al matrimonio con Isabella d'Este, chiede a Innocenzo VIII di autorizzare il ritorno del Mantegna a Mantova per i preparativi delle nozze.

**1490.** Dalla risposta del pontefice (1° gennaio) alla missiva suddetta di Francesco Gonzaga si apprende che il pittore è malato, e sarebbe pericoloso esporre "talem virum" ai disagi del viaggio. Del resto la cappella in Vaticano non doveva

essere ancora compiuta, visto che reca la data 1490 assieme alla firma del Mantegna "conte palatino" (si veda *1469*). Il rientro del maestro a Mantova avviene fra settembre e il 5 ottobre, in cui la sua presenza è documentata con certezza.

**1491.** Il 16 luglio alcuni collaboratori del maestro risultano occupati all'ornamentazione della residenza gonzaghesca di Marmirolo (*Catalogo*, n. 81). La data 1491 è iscritta nella *Giuditta* all'acquerello degli Uffizi (si veda pag. 123).

**1492, 14 FEBBRAIO.** Il marchese Gonzaga assegna al maestro il bosco della Caccia, in compenso dei lavori per la cappella di castel San Giorgio, la Camera degli Sposi e il *Trionfo di Cesare*.

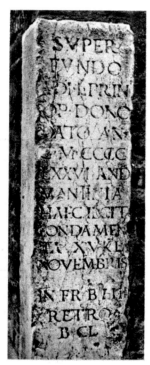

*La lapide apposta dal Mantegna sulla propria casa mantovana (si veda 1476).*

**1493.** Il 12 gennaio la marchesa Isabella commissiona al maestro il proprio ritratto per inviarlo alla contessa dell'Acerra; ma l'effigie la lascia insoddisfatta perché assai somigliante: perciò avverte la contessa (20 aprile) che non gliela spedirà (*Catalogo*, n. 82).

**1494.** Il 14 gennaio Isabella spedisce alla contessa dell'Acerra un ritratto che le ha eseguito Giovanni Santi, il padre di Raffaello. Il 7 aprile risultano ancora da eseguire due elementi del *Trionfo di Cesare*, che peraltro non verranno mai compiuti. Intanto proseguono i lavori di Marmirolo (*Catalogo*, n. 81).

**1495, 31 LUGLIO.** Iniziano i progetti per la *Madonna della Vittoria*, ora al Louvre (*Catalogo*, n. 93), a celebrazione della battaglia di Fornovo avvenuta il 6 dello stesso mese.

**1496.** Il 6 luglio, primo anniversario di Fornovo, la *Madonna* suddetta viene esposta con solennità nella cappella appo-

sitamente costruita. Nello stesso anno risulta in via d'esecuzione la pala per Santa Maria in Organo di Verona, ora a Milano (*Catalogo*, n. 94). Giambellino promette un dipinto da collocarsi nello studiolo della marchesa Isabella, per il quale il Mantegna sta eseguendo il cosiddetto *Parnaso* del Louvre (*Catalogo*, n. 91 A).

**1497.** Da una lettera del 3 luglio, che un intendente invia a Ferrara alla marchesa Isabella, si apprende che il *Parnaso* ha avuto sistemazione nello studiolo. La data 15 agosto 1497 è iscritta nella suddetta pala, eseguita per Verona.

**1499.** Si reca a Ferrara per stimare alcuni dipinti. Nello stesso anno, a Mantova, esegue progetti per un monumento a Virgilio desiderato dalla marchesa Isabella.

**1500.** Interpellato dal priore di Santa Maria in Vado perché gli dipinga una *Madonna* o un *San Gerolamo*, fa rispondere di non aver tempo.

**1501, 13 FEBBRAIO.** Sigismondo Cantelmo accenna in una lettera al *Trionfo di Cesare*, impiegato, assieme ai *Trionfi del Petrarca*, pure dipinti dal Mantegna (*Catalogo*, n. 90), per allestire uno spettacolo teatrale alla corte di Mantova.

**1502, 10 GENNAIO.** Cede ai Gonzaga la casa presso San Sebastiano in cambio di un'altra vicina.

**1504.** Del 1° marzo è il testamento col quale il maestro destina, fra l'altro, duecento ducati all'ornamentazione della propria cappella funebre in Sant'Andrea di Mantova. Il 6 luglio Lorenzo da Pavia comunica ai Gonzaga che Giambellino ha terminato un dipinto, da collocare assieme ad altri eseguiti dal Mantegna, compiuto con ogni cura "per respecto de m[aestro] Andrea".

**1505, 1° GENNAIO.** In una lettera alla marchesa Isabella, il Bembo esterna la propria ammirazione per il Mantegna.

**1506.** In data 13 gennaio, appena rimessosi da una malattia (forse, un insulto apoplettico), il maestro scrive alla marchesa Isabella la lettera qui data in autografo, comunicando d'avere quasi terminato il disegno della *Favola del dio Como* per lo studiolo (*Catalogo*, n. 91 C), e di essere disposto a cederle, date le proprie difficoltà finanziarie, un busto romano di Annia Galeria Faustina (tuttora nel Palazzo Ducale di Mantova), che gli era particolarmente caro. Dopo non brevi né elegantissimi mercanteggiamenti da ambo le parti, la cessione, contro cento ducati, viene perfezionata il 4 agosto. Il 13 settembre, "a hore diecenove" (lettera diretta due giorni dopo da Francesco, figlio di Andrea Mantegna, al marchese Gonzaga in Perugia), l'artista si spegne. Il 2 ottobre, Ludovico, altro suo figlio, accennando in una missiva ai dipinti rimasti nello studio del padre, ricorda: "un Cristo in scurto; quella è opera di Scipione Cornelio, principiata già nel nome di mess[er] Francesco Cornaro; un S. Sebastiano, e gli due quadri che vanno alla sua capela" (*Catalogo*, n. 57, 96, 73, 108 e 109 [?]).

*La vôlta della cappella funebre del Mantegna in Sant'Andrea di Mantova con lo stemma di famiglia.*

# Catalogo delle opere

*Elenco cronologico e iconografico
di tutti i dipinti
del Mantegna
o a lui attribuiti*

La critica sembra ancora piuttosto lontana dall'unanimità nei confronti della vicenda artistica del Mantegna, sia a proposito delle sue origini e dei precedenti, sia circa lo svolgimento successivo, sia infine sulla valutazione qualitativa (si veda la premessa all'*Itinerario critico*). Rimane da notare, per quest'ultima, che proprio taluni fra gli studiosi più propensi a collocare assai in alto ogni aspetto e momento della vicenda, sono poi gli stessi (o alcuni fra loro) che al *corpus* artistico del Mantegna apportarono incrementi d'ogni sorta, raramente adeguati e troppe volte di gran lunga inferiori perfino allo scarso concetto dimostrato verso le opere della maturità da altri esegeti, che per lo più risultano avversi a simili dilatazioni.

Quanto agli esordi, si pone anzitutto il problema di Francesco Squarcione. I vecchi storiografi ricordano il patrigno e maestro del Mantegna come pittore fin dalla "pueritia"; invece nelle carte archiviali risulta insistentemente "sartor et recamator", e la prima notizia d'un suo lavoro pittorico rimonta appena al 1429. Mentre gli uni esaltano i suoi viaggi in Italia e in Grecia alla ricerca di illustri disegni e di reliquie archeologiche; gli altri attribuiscono non meno di centotrentasette allievi amorosamente educati e sovente affiliati, e scorgono in lui il titolare di cicli insigni — fra cui l'ornamentazione della stessa cappella Ovetari — ai quali avrebbe generosamente lasciato partecipare i pupilli; i documenti, di contro, non accennano ad alcun viaggio, il numero dei discepoli contrasta con le norme corporative, le adozioni si risolsero spesso in beghe, dalle quali il padre adottivo emerge come sfruttatore dei figliocci, e — almeno nel caso del ciclo Ovetari — par chiara una sua assoluta estraneità: anzi, la sua palmare ostilità verso il giovane Andrea. Eppure altri né meno certi elementi stanno a provare, nell'ex ricamatore, un'effettiva passione — diciamo passionaccia — per l'Antico, un innegabile ascendente esercitato su parecchi fra gl'ingegni più desti che allora si affacciavano alla ribalta artistica del Veneto e dell'Emilia (per cui un Tura, un Crivelli e un Mantegna manifestano più d'un 'motivo' in comune), e i suoi pochi dipinti

superstiti non sono affatto dozzinali, come si credette, bensì opere d'arte "vera ed alta" [Longhi], dense di goticismi arguti e saporosi.

Altro problema, l'operosa presenza in Padova e a Venezia, fra il terzo e il sesto decennio del '400, di artisti toscani: Andrea del Castagno e Paolo Uccello, Filippo Lippi e Donatello. Da costoro, soprattutto i due ultimi, si fanno dipendere gli esordi del Mantegna [Fiocco; ecc.]; ciò che appare incontestabile, sia pure non in grado esclusivo e quando si riservi la dovuta parte alla mediazione del Pizolo. Il quale, prima di collaborare con Andrea agli Eremitani, nella stessa Padova aveva aiutato il Lippi nella cappella del Podestà e Donatello al Santo, verosimilmente accompagnando il secondo a Firenze, ove poté prendere visione delle sue sculture giovanili; i cui echi nel Mantegna sarebbero inspiegabili senza il tramite, appunto, del Pizolo [Camesasca]. Inoltre dovette contare molto, per l'esordiente, il viaggio a Ferrara nel 1449: valso a fargli conoscere i dipinti fiamminghi (*in primis*, di Rogier van der Weyden) delle raccolte estensi, e le opere di Piero che pure si trovavano allora nella città emiliana. Ma tutto ciò, occorre sottolineare, costituisce un apporto tenace, decisivo, senz'altro imprescindibile per chiarire gli esiti del Mantegna in quei primi anni; e nondimeno insufficiente a penetrare tali esiti qualora non si riconosca in tale apporto un frutto maturatosi sul seme squarcionesco.

Presto fu la volta dei rapporti con i Bellini. Anzitutto ebbero peso i 'quaderni' di antichità disegnati dal vecchio Iacopo; poi, entro breve, gli scambi con Gentile e, più, con Giovanni. Nel caso di quest'ultimo, la critica asserì a lungo una sua dipendenza rispetto al cognato padovano; in seguito si verificò un atteggiamento opposto. Tuttavia il termine 'scambio', con le sue implicazioni di dare e ricevere, sembra meglio idoneo a spiegare, in Mantegna, l'"addolcimento" notato già dal Cavalcaselle in coincidenza del matrimonio con Nicolosia Bellini; e, in Giambellino, taluni fra i suoi viraggi dalla parlata bizantina a quella rinascimentale.

Poi, Mantova. Dove, al dire di qualche studioso, il Mantegna avrebbe trovato una cultura in

vitalissimo fermento; mentre altri vi individuano, forse meglio, soltanto aria di provincia, casomai erudizione antiquaria di genere libresco, sia pure eccitata dalla risonanza dei fatti 'nuovi' in essere a Venezia, Urbino, Rimini, e ormai da tempo accaduti a Firenze. Con questi il Mantegna venne anche in contatto diretto: al suo viaggio in Toscana si attribuì, da varie parti, un valore eccezionale, giacché egli si sarebbe reso conto dell'intera produzione artistica accumulatasi non solo nel centro fiorentino, ma in Pisa e forse pure in Arezzo, approfittandone per aggiornare le proprie nozioni su Lippi, Castagno e Piero, e acquisirne sul Botticelli. Critici recenti riconoscono invece che il Mantegna si dovette soffermare sicuramente dinanzi agli affreschi pisani dei Benozzo Gozzoli, senza indugiare troppo sul resto, e al più dedicando qualche sguardo a lavori botticelliani, né dei più freschi.

Quindi, il soggiorno a Roma. Per il quale, in verità, è oggi pressappoco concorde l'ammissione che non abbia sconvolto granché il pittore, ormai ben radicato in certe sue idee sull'Antico, attinte nei testi letterari più che sui reperti archeologici, come prova la coerenza fra i 'pezzi' del *Trionfo di Cesare* presumibilmente antecedenti e quelli successivi alla gita romana. Infine, nei lavori della vecchiaia, se alcuni scorgono continue prove di ferace rinnovamento [Fiocco; Coletti; Paccagnini; ecc.], altri [Longhi; Castelfranco; Camesasca; ecc.] avvertono i segni d'una vistigliosa involuzione. Pensando che Leonardo Giorgione Michelangelo Raffaello avevano ormai raggiunto i loro apici espressivi (o ne avevano già poste le stupende premesse), si può anche riconoscere che essi erano temperamenti troppo diversi dal Mantegna perché questi potesse farne conto; nondimeno sarebbe arduo giustificare l'estremo ripiegamento di maestro Andrea fin sul Perugino più stanco e deteriore.

L'esame del *corpus* superstite del pittore rimane ostacolato, in molti casi, dalla mancanza di dati cronologici; in parecchi, dalle precarie condizioni delle opere. A parte la dolorosa distruzione di varie 'storie' Ovetari, oltre che delle ornamentazioni eseguite nelle residenze gonzaghesche di Ca-

vriana, Marmirolo, ecc. (la cui sopravvivenza avrebbe forse attenuato la severità di alcuni giudizi sul maestro, comprovandone la straordinaria ricchezza inventiva, parzialmente testimoniata dalle incisioni su idee sue), e a prescindere dai guasti rilevabili nella Camera degli Sposi, buona parte delle tele e tavole mantegnesche, specie le prime, risultano spellate e lacunose, in dipendenza dell'esile strato di colore con cui furono dipinte e che non tollera fissativi tenaci (quali, almeno, furono in uso nei secoli scorsi). Sempre a proposito della pittura da cavalletto, mentre rare volte si riconosce con certezza l'impiego delle tinte ad olio, il procedimento più consueto nel Mantegna viene in genere assimilato alla tempera; ma non va escluso che si tratti di tecnica 'mista', dove comunque la tempera predomina (determinando i crolli di colore testé accennati). Per alcune opere, però, è stato impossibile accertare la natura del mezzo adottato, nonostante la diligen-

3

4

za degli indagatori, o per la ragione opposta che seri esami non furono sin qui eseguiti, al punto che dipinti solitamente creduti in buono stato rivelano estese ripassature; e altri, espunti a causa d'una qualità giudicata mediocre, sono in effetti essi pure debilitati da 'mani' spurie.

**1** 1448

**Pala. Già a Padova, Chiesa di Santa Sofia.**

Recava la scritta riferita dallo Scardeone (si veda *Documentazione*) e vi erano raffigurate la Madonna "et aliquas alias imagines" che si possono presumere di santi. Per quest'opera — menzionata anche dal Vasari — il Mantegna ricevette quaranta ducati il 16 ottobre 1448. Fu distrutta entro il 1648 [Boschini].

**2** 1449?

**RITRATTO DI LIONELLO D'ESTE E DI FOLCO DA VILLAFORA.**

In una annotazione del 24 maggio 1449, relativa alla corte estense [Campori, 1886], è menzionata una tavoletta con le effigie di "Lionello d'Este da un verso e [di] Folco da Villafora [camerlengo e favorito di Lionello] dall'altro", eseguite da "Andrea da Padova". L'identificazione del pittore col Mantegna, pressoché concordemente ammessa, non è però rigorosamente certa.

**3** 43×34

**MADONNA COL BAMBINO. Basilea, Proprietà privata.**

Reca la scritta: "OPVS ANDREAE MANTEGNAE", sulla cui autenticità sono leciti seri dubbi. Resa nota dal Fiocco ["BM" 1949] come autografo d'Mantegna verso il 1452. Per la Tietze-Conrat, 'pasticcio' di brani imitati da diverse opere del maestro; contestata anche dalla Cipriani; e senz'altro da respingere.

**4** 48×34,5 1450?

**MADONNA COL BAMBINO. Boston, Museum of Fine Arts.**

Nella sede attuale dal 1933 pervenuta da un non meglio specificato castello nel Brandeburgo. Il riferimento al Mantegna fu accolto dal Fiocco mettendola in rapporto col ciclo degli Eremitani. Per il Suida, d'un allievo; per la Tietze-Conrat, di seguace; secondo la Cipriani, d'un imitatore.

**5** ⊞ ⊗ 76×53 ▤ ⦂

**SAN GEROLAMO PENITENTE. Washington, National Gallery (Mellon).**

Reso noto come autografo da A. Venturi ["L" 1927], concorde il Fiocco, che lo riferì alla prima attività negli Eremitani di Padova (n. 14). Respinto da Longhi ["P" 1934], Tietze-Conrat (per la quale è opera d'un ferrarese sotto l'ascendente dello Squarcione) e Cipriani.

**6** ⊞ ⊗ 48×37 *1450* ▤ ⦂

**SAN GEROLAMO PENITENTE. San Paolo, Museu de Arte.**

Fu reso noto come autografo dal Borenius ["BM" 1936] allorché entrò nella collezione di Paolo di Jugoslavia; dopo il secondo conflitto mondiale pervenne alla sede odierna. Già nel 1937 il Fiocco lo assegnava a Marco Zoppo, seguito dal Ragghianti [1937] e da altri; però il Berenson [1952] riprendeva l'attribuzione al Mantegna, accolta dalla maggior parte della critica recente, con l'eccezione della Tietze-Conrat. Il problema della cronologia viene per lo più trascurato: secondo la Cipriani, spetta al 1465 circa; per il Camesasca, indicando rapporti coi pittori nordici e con Piero della Francesca, oltre che coi lavori giovanili del Mantegna stesso, è del 1449-50. In buono stato di conservazione, salvo lievissimi restauri in alto, a sinistra.

**7** ⊞ ⊗ 40×55,5 1449-50* ▤ ⦂

**L'ADORAZIONE DEI PASTORI. New York, Metropolitan Museum.**

Al centro, la Madonna in adorazione del Bambino, circondata da uno stuolo di cherubini; appoggiato a un albero, san Giuseppe dorme; i due pastori a destra, in atto d'inginocchiarsi, sono così chiaramente vicini ai dannati di Rogier van der Weyden nel Giudizio universale di Beaune, da far pensare che

7

il Mantegna fosse ancora sotto le recenti impressioni ricevute a Ferrara [Camesasca], dove esistevano opere del pittore fiammingo. Il paesaggio, in evidenti rapporti con Piero della Francesca, è praticamente uguale a quello del San Gerolamo di San Paolo [Id.], quantunque meglio organizzato; nel fondo, la rupe conica che comparirà in vari altri dipinti del Mantegna. Delle persone che stanno sopraggiungendo sulla destra, una si vede solo in parte, il che sembra avvalorare l'ipotesi della Tietze-Conrat, per la quale il dipinto fu ridotto almeno su quel lato. Secondo il catalogo del Museo si tratterebbe della parte di una predella eseguita intorno al 1460, e l'ipotesi trova concorde la Tietze-Conrat. Un dipinto dello stesso tema risulta nella quadreria di Margherita Gonzaga, moglie di Alfonso II d'Este, dove esistevano altre opere del Mantegna, restaurate da Bastiano Filippi nel 1586-88. Appartenne a Carlo I d'Inghilterra fino alla vendita di Somerset House (1650); quindi, attraverso le collezioni A. Rouse-Boughton-Knight di Downton Castle (Inghilterra) e C. H. Mackay di Roslyn (U.S.A.), giunse alla sede attuale. Sappiamo che nel 1880 fu posto in vendita a Londra, dal Day, un altro Presepe. Quale dei due fosse pervenuto a Downton Castle è ignoto; li comunque il Cavalcaselle vide l'opera in esame, attribuendone la stesura alla scuola, su disegno del maestro. Negata al Mantegna da Kristeller, Schmarsow e Tietze-Conrat; ma giustamente accolta come autografa dalla maggior parte dei restanti studiosi. Fu riferita con molta attendibilità al biennio 1449-50 [Fiocco; Camesasca]; di un periodo vicino alla Pala di San Zeno (n. 23), invece, per la Cipriani. La tempera fu trasferita dalla tavola originaria su tela. Disegni in rapporto col dipinto (peraltro negati al maestro dalla maggior parte dei critici), agli Uffizi e a Windsor Castle.

**8** ⊞ ⊗ 24,6×15,8 ▤ ⦂

**L'ADORAZIONE DEI PASTORI. Già a Parigi, Collezione Martin Le Roy.**

L'opera è attualmente nota soltanto attraverso l'illustrazione del catalogo della collezione suddetta [A. Coupil, 1909], nel quale figurava come lavoro di bottega, molto vicino al maestro e in particolare all'Adorazione oggi a New York (n. 7). Il Lorenzetti ["L" 1910], riprendendo un'ipotesi adombrata nel catalogo suddetto, riteneva trattarsi di copia frammentaria del n. 7. La Tietze-Conrat, pur ammettendo che in origine le due opere avessero le stesse dimensioni, pensa che quella in esame fosse in realtà una replica variata, in analogia con un disegno di Windsor, per la studiosa relativo alla presente composizione.

8

**9** ⊞ ⊗ 87×76 ▤ ⦂

**MADONNA COL BAMBINO. Invergarry (Scozia), Collezione W. V. Goodbody.**

Passò dall'antiquario Podio di Bologna ad Agnew di Londra; poi, alla sede odierna. Resa nota da R. Fry come autografo ispirato da rilievi di Donatello, concordi Fiocco e Coletti; respinta dalla Tietze-Conrat e dalla Cipriani, la quale — giudicandola allo stato attuale (assai ridipinta, ma presentata come incompiuta) — ne dichiara molto precario l'inserimento nell'iter artistico del maestro.

**10** ⊞ ⊗ 67×43 1450* ▤ ⦂

**MADONNA CON IL BAMBINO E I SANTI GEROLAMO E LUDOVICO. Parigi, Musée Jacquemart-André.**

Fu acquistata a Venezia (1887) dall'antiquario Guggenheim. Di bottega, secondo il Kristeller (che pensava con dubbio al Bonsignori) e A. Venturi; mentre sarebbe autografa per Berenson e Fiocco (il quale la ascrive al tempo degli affreschi Ovetari [n. 14]). Secondo altri, eseguita nella bottega dei Bellini, dal Mantegna stesso collaborando forse con Gentile [Paccagnini], o con Giovanni [Longhi; Ragghianti; Camesasca]; per Meiss, Arslan e Gilbert, almeno nella stesura sarebbe intervenuto un collaboratore ignoto. Buono lo stato di conservazione.

**11** ⊞ ⊗ 47×37 ▤ ⦂

**MADONNA COL BAMBINO CHE DORME. Torino, Galleria Sabauda.**

Proviene dalla collezione Gualino, con la quale la rese nota L. Venturi [1926], giudicandola un autografo anteriore alla Pala di San Zeno (n. 23). Espunta dalla Tietze-Conrat (per la quale è forse una derivazione dal maestro, a opera di pittore veneziano), dalla Cipriani e dal Paccagnini (che rileva affinità con la cerchia squarcionesca di Marco Zoppo). Il giudizio rimane peraltro ostacolato per le gravi alterazioni provocate da puliture e ritocchi.

**12** ⊞ ⊗ 82×63,5 1450* ▤ ⦂

**SAN MARCO. Francoforte sul Meno, Staedelsches Kunstinstitut.**

Nel cartiglio, in basso, reca la scritta (da alcuni giudicata apocrifa): "INCLITA MAGNANI-

MI VE ... EVANGELISTA. PAX TIBI ... ANDREAE MANTEGNAE ... O ... LABOR". Pervenuto da Parigi, in seguito ad acquisto, alla dispersione della raccolta Salamanca (1867). Il santo si affaccia da una finestrella, confrontabile — per certa esibita compiacenza prospettica — con l'arco del San Giacomo coi demoni agli Eremitani di Padova (n. 14 F); sul davanzale, oltre a una mela, il volume del Vangelo, attribuito dell'effigiato. Il Fiocco, dopo un primo collegamento al Pizolo [1927], considerando autentica la scritta lo riferì al Mantegna verso il 1454; l'attribuzione venne accolta da Berenson, Ragghianti,

87

9

10

11

12 [Tav. I]

5

6

Longhi [1962] e Camesasca; quest'ultimo vi ravvisa diretti rapporti stilistici con la *Testa gigantesca* pure agli Eremitani (n. 14 D). Per la Tietze-Conrat spetta a un pittore di educazione padovana; ulteriori proposte attributive non hanno avuto alcun seguito.

## 13 ⊞ ⊗ *1455* ▤ ⁝

### RITRATTO DI IANO PANNONIO E GALEOTTO MARZIO DA NARNI.

Il primo è l'abbastanza noto vescovo e umanista ungherese Giovanni Csezmicei, forse lo stesso che il Vasari asserisce effigiato anche nella Cappella Ovetari (si veda n. 14 K). Non appare chiaro se si trattava di due effigie separate o forse, come nel caso di quelle di Lionello d'Este e Folco da Villafora (n. 2), riunite sulle due facce d'un unico supporto. L'opera viene menzionata dal Pannonio stesso, in un'elegia in onore del Mantegna, composta prima del 1458; ciò che lascia dedurre si tratti d'un lavoro eseguito a Padova.

## Gli affreschi nella Cappella Ovetari

La cappella (dimensioni massime: profondità, m. 11,10; larghezza, m. 8,85) si trova nella chiesa degli Eremitani a Padova. Nella prima metà del '400 fu riattata a spese del notaro Antonio Ovetari; che poco dopo, nel testamento del 1443 e in un codicillo aggiuntivo del '46, le destinava settecento ducati per corredarla d'un altare e dell'ornamentazione pittorica, quest'ultima dedicata a 'storie' dei santi Giacomo e Cristoforo. Il 16 maggio 1448, Imperatrice, vedova dell'Ovetari, sottoscriveva una convenzione con i pittori Nicolò Pizolo e Andrea Mantegna (per il quale, ancora minorenne, firmò il fratello Tommaso), ai quali venivano assegnati; oltre alla pala plastica per l'altare, gli affreschi della parete a sinistra. La restante metà dell'impresa — relativa all'ornamentazione pittorica del-

la parete a destra ('storie' di san Cristoforo), crociera nella vôlta (figure degli evangelisti), parete sopra l'arcone d'ingresso ('storie' della Passione), intradosso dell'arcone medesimo (figure di santi), e all'esterno della cappella (fregio) — fu assegnata ai muranesi Giovanni d'Alemagna e Antonio Vivarini. I lavori avrebbero dovuto essere terminati entro il 1450; ma, come si sta per dire, vari fatti intervennero a ritardarli. Anzitutto, poiché la convenzione non definiva le parti spettanti a ciascun artista, fra il Pizolo e il Mantegna — entrambi, a quanto sembra, di carattere assai suscettibile — sorsero presto gravi dissensi. Vi si dovette porre riparo con un arbitrato (27 settembre 1449), da parte di Pietro Morosini, in seguito al quale la 'compagnia' dei due veniva sciolta, e si stabilì che il Pizolo avrebbe atteso alla pala plastica e alla pittura dell'abside, del lato destro dell'arcone e dell'ultimo episodio di san Giacomo (parete di sinistra, presso l'altare), avendo già iniziato le figure dell'Eterno e dello stesso san Giacomo in due spicchi absidali; il Mantegna avrebbe dovuto compiere i tre spicchi rimanenti (dipingendovi i santi Pietro, Paolo e Cristoforo), ormai da lui cominciati (n. 14 A-C), la zona di sinistra nell'arcone (n. 14 D) e le prime cinque 'storie' di san Giacomo. Il Morosini rilevava anche che gli ex soci avevano ormai ricevuto più di quanto non fossero le loro competenze; che quindi portassero a termine l'opera, e che, in caso di morte di uno dei due, sarebbe passata al superstite la parte di compenso corrispondente al lavoro da perfezionare. Nel 1450 si verificò un altro imprevisto: la morte di Giovanni d'Alemagna, in seguito alla quale il suo compagno Vivarini abbandonò l'impresa (1451), dopo aver condotto a fine la sola crociera. Quanto si erano impegnati a eseguire i muranesi fu poi ac-

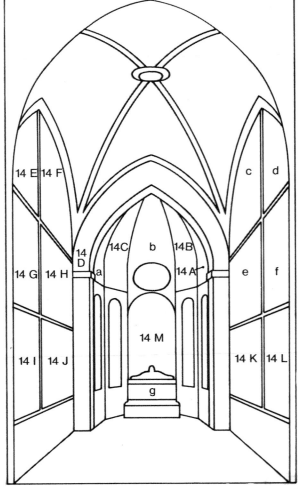

*Schema degli elementi pittorici della Cappella Ovetari (n. 14). I numeri accompagnati da una lettera maiuscola si riferiscono agli affreschi del Mantegna, secondo l'ordine adottato nel presente Catalogo; le lettere minuscole concernono le seguenti altre opere: a - San Giacomo, iniziato dal Pizolo e compiuto da altri; b - L'Eterno, del Pizolo; c - San Cristoforo dinanzi al re, per lo più ascritto ad Ansuino da Forlì, ma forse di altro pittore; d - San Cristoforo si rifiuta di servire il principe dei demoni, creduto dello stesso Ansuino o di altri, ma con ogni probabilità di un pittore diverso dal precedente; e - San Cristoforo traghetta Gesù bambino, per lo più creduto di Bono da Ferrara; f - Predica di san Cristoforo, pure sovente attribuito a Bono, ma forse d'un pittore diverso dal precedente e forse lo stesso che eseguì l'affresco d; g - pala modellata da Nicolò Pizolo.*

l'*Assunzione* (n. 14 M), nell'abside, oltre alle tre figure e alla zona dell'arcone accennata sopra; in più affrescò gli ultimi due episodi della vita di san Cristoforo (n. 14 K e L) — in origine commissionati alla società dei muranesi —, mentre alle prime 'storie' di questo santo Ansuino, Bono e un altro o due altri pittori d'identificazione incerta. Il 14 febbraio 1455, quando presumibilmente rimanevano ancora pendenze fra le parti interessate all'ornamentazione della cappella, Pietro da Milano, interpellato come arbitro, dichiarava di riconoscere la mano del Mantegna nella stesura degli affreschi sulla parete di sinistra e dell'*Assunzione*, pur non avendo seguito di persona i lavori, poiché il fare di un pittore, specie trattandosi d'un "gran maestro", è sempre discernibile da parte dei colleghi; affermava altresì che, nonostante le rimostranze di Imperatrice Ovetari, non si sarebbero potuti raffigurare i dodici apostoli ai piedi dell'Assunta, a meno di voler compromettere il risultato artistico. Il giorno seguente lo Squarcione, perito della Ovetari, opponeva che gli apostoli avrebbero trovato posto tutti quanti, solo che il Mantegna avesse avuto l'avvertenza di contenerne le dimensioni. Il Vasari riferisce — desumendo da una lettera di Gerolamo Campagnola — che in origine il complesso era stato allogato allo Squarcione, e che questi vi avrebbe fatto intervenire il figlioccio; tuttavia i documenti non lasciano dubbi che l'unico rapporto fra il vecchio maestro padovano e l'ornamentazione della cappella si ridusse alla perizia testé accennata, peraltro come parte avversa al Mantegna.

La successione cronologica dei singoli dipinti fu ed è tuttora oggetto di appassionate controversie da parte della critica (si veda qui sotto); la quale non si trova certo agevolata

**14 A**

toscriveva una convenzione con i pittori Nicolò Pizolo e Andrea Mantegna (per il quale, ancora minorenne, firmò il fratello Tommaso), ai quali venivano assegnati; oltre alla pala plastica per l'altare, gli affreschi della parete a sinistra. La restante metà dell'impresa — relativa all'ornamentazione pittorica del-

**14 B**

collato alla nuova società stretta fra il Mantegna e Ansuino da Forlì, che già nel '51 ricevevano compensi, unitamente anche a un altro nuovo partecipe al lavoro, Bono da Ferrara. Ulteriori pagamenti seguirono nel 1452, al Pizolo, che modellò la pala e compì le sue figure negli spicchi dell'abside;

**14 C**

inoltre dipinse in quest'ultima i quattro padri della Chiesa e la zona assegnatagli dell'arcone: però nel 1453 moriva in seguito alle ferite ricevute in una rissa. Quanto gli restava da dipingere fu perciò assegnato al Mantegna, che in tal modo eseguì l'intera serie delle 'storie' di san Giacomo (n. 14 F-J) e

**14 D**

dalla relativa scarsità di documenti, pur dopo le considerevoli scoperte archivali della Rigoni ["AIV" 1927-28; e "AV" 1948], e soprattutto dall'impossibilità di un'osservazione diretta, venutasi a determinare con la perdita di gran parte del ciclo, in seguito a un bombardamento aereo del marzo 1944, dal quale si salvarono appena l'*Assunzione*, il *Martirio* e il *Trasporto di san Cristoforo* (n. 14 K-M), staccati tutti nel 1865 e posti al riparo durante l'ultimo conflitto; cui sono da aggiungere minuti frammenti del *Martirio di san Giacomo* (n. 14 J) e i pochi altri del *Giudizio* dello stesso santo (n. 14 H).

Nella seguente trattazione delle singole parti spettanti al Mantegna, non se ne indica l'ubicazione, per la quale si rinvia al grafico della cappella qui riprodotto con i numeri che a dette parti corrispondono nel nostro *Catalogo*.

**14** ▦ ⊕ *1449-50* 🗏 ⁝

## A. SAN CRISTOFORO.

L'arbitrato del 1449 (si veda sopra) stabiliva che la presente figura e le due seguenti venissero completate dal Mantegna, che già vi aveva posto mano. Avanti la pubblicazione di esso arbitrato [Rigoni, 1927] venivano per lo più ascritte al Pizolo; però A. Venturi [1914] rilevava interventi collaborativi del Mantegna almeno in questo, mentre il Longhi [1926] indicava indizi del suo fare in tutta l'ornamentazione pittorica dell'abside. Il Fiocco vi scorge ricordi di Andrea del Castagno (operoso a Venezia nel 1442); il Camesasca invece ne spiega l'impronta toscaneggiante prospettando che i caratteri donatelleschi qui evidenti, e collegabili a opere fiorentine del grande scultore, siano stati mediati al Mantegna dal suo compagno Pizolo (già aiuto di Donatello), il quale — secondo lo studioso — potrebbe averne addirittura ideata l'impostazione. Generalmente vengono riferiti al 1449, il più tardi all'anno successivo.

**14** ▦ ⊕ *1449-50* 🗏 ⁝

## B. SAN PAOLO.

Si veda il commento precedente.

**14** ▦ ⊕ *1449-50* 🗏 ⁝

## C. SAN PIETRO.

Si veda il commento del n. 14 A.

**14** ▦ ⊕ *1450* 🗏 ⁝

## D. TESTA GIGANTESCA.

Probabile autoritratto del Mantegna (cui corrispondeva, sull'altro lato dell'arcone, quello del Pizolo). Si trovava nella zona assegnata al pittore dall'arbitrato del 1449; cosicché, dati anche i caratteri stilistici rilevabili dalle riproduzioni, indicanti contatti con l'arte ferrarese (da ascriversi all'incirca al maggio del '49 stesso), sembra giusto riferirla a un periodo intorno al 1450. Il Paccagnini ne indicò l'esecuzione rapida e sicura, mediante pennellate modellatrici, "come colpi di stecca nell'argilla fresca".

**14** E

**14** F

**14** G

**14** H

*Particolare del San Giacomo in giudizio (n. 14 H) prima del bombardamento del 1944 e nello stato attuale.*

**14** ▦ ⊕ base 330* *1450* 🗏 ⁝

## E. LA VOCAZIONE DEI SANTI GIACOMO E GIOVANNI.

L'episodio si riferisce al passo evangelico di Matteo (IV 21-22): a sinistra, Cristo fra Pietro e Andrea; i due nuovi apostoli sono in ginocchio al centro; sulla barca, a destra, il loro padre, Zebedeo, intento a raccogliere le reti. Le rocce, nel fondc, rivelano ormai il "gusto quasi geologico" che sarà caratteristica costante nel Mantegna; ma il colore non presenta la tipica qualità "minerale" delle opere successive, essendo ancora esemplato su quello del Lippi [Fiocco; Cipriani]. Già il Michiel [1523-24] ascriveva al Mantegna la presente e l'altra metà del lunettone; l'attribuzione veniva accolta da Cavalcaselle, Kristeller e Longhi [1926] (almeno per il disegno), trovando conferma nei documenti relativi all'arbitrato del 1449 (si veda sopra), la cui pubblicazione ha eliminato ogni dubbio. A. Venturi, invece, l'assegnava al Pizolo, riscontrando qualche dipendenza dalle corrispondenti 'storie' nella parete di fronte, per lui di Ansuino da Forlì.

14 I

14 J

Il linguaggio pittorico e l'ubicazione stessa dei due dipinti — nella parte superiore della parete — consigliano la datazione verso il 1450.

**14** ⊞ ⊕ base 330° *1450*

### F. SAN GIACOMO PARLA AI DEMONI.

Da una tribunetta il santo si rivolge — secondo quanto è detto nella *Legenda aurea* di Iacopo da Varazze — ai demoni inviatigli contro dal mago Ermogene, che atterriscono alcuni della folla sottostante, mentre altri rimangono impietriti. La porta, a destra, è decorata da un mascherone e, sopra, da una statua d'uomo semisdraiato, che ricomparirà nel *Trionfo di Cesare* (n. 63 D) [Tietze-Conrat]. Il putto sul festone, analogo a quello visibile nel dipinto precedente, partecipa qui al terrore suscitato dall'avvenimento. Al terzo spettatore, da sinistra, mancava una gamba: il fatto era attribuito all'errore di qualche restauratore; ma più probabilmente si trattava della caduta di un'area eseguita a secco. Per le questioni filologiche, si veda il n. 14 E.

**14** ⊞ ⊕ base 330° 1451*

### G. SAN GIACOMO BATTEZZA ERMOGENE.

Altro episodio desunto dalla *Legenda aurea*: il mago Ermogene si converte al cristianesimo, alla presenza di vari spettatori. Il medaglione sulla parete di fondo, sopra la bottega (per il Fiocco, quella del mago stesso), deriverebbe da un rilievo antico [Moschetti, 1908]. L'impianto prospettico impone al riguardante di considerare questa e la 'storia' contigua come un'unica visione, a causa del punto di fuga, unico per entrambe e sito sulla candelabra che dovrebbe dividerle [Castelfranco]. Quanto all'ubicazione così abbassata di detto punto, più che dalle teorie dell'Alberti, sembra derivare dai rilievi di Donatello per il Santo di Padova (1447) [cfr. L. Grassi, *Tutta la scultura di Donatello*, 1958]. L'allungamento delle figure rispetto a quelle del lunettone suddetto (n. 14 E ed F) viene inteso dal Fiocco quale indizio d'un primo accostamento del Mantegna a Iaco-

po Bellini, testimoniato pure dalla presenza dei bambini, a sinistra, e dagli inserti classici. La luce si diffonde "priva di scotimenti", sugli esempi di Piero della Francesca, senza però il suo palpito vitale [Cipriani]. L'ammissione dell'autografia del Mantegna fu sempre unanime. Secondo il Camesasca, da collegarsi a pagamenti del 1451 [cfr. Rigoni, 1948], e quindi eseguito entro quella data; ma per lo più viene riferito a qualche anno dopo.

**14** ⊞ ⊕ base 330° 1451*

### H. SAN GIACOMO IN GIUDIZIO.

Il santo, affiancato dalle guardie, si volge verso Erode Agrippa, che lo giudica dall'alto del trono; ai piedi di questo, un ragazzetto con un elmo da adulto e appoggiato a uno scudo, vuol forse essere lo scudiero di Erode. Sull'arco, in fondo, si scorgono un rilievo raffigurante un sacrificio pagano (che la Blum collega simbolicamente al martirio di san Giacomo), due medaglioni e una lapide con la scritta: "T. PVLLIO ...": una lastra con tale iscrizione e due medaglioni venne ricordata dal Marcanova a Monte Buso, presso Este [cfr. Mommsen, *Inscrip-*

*tiones Galliae Cisalpinae*, I n. 2528]. L'esibizione di particolari aneddotici — come il bambino in primo piano, i due personaggi conversanti a sinistra dell'arco, il volo d'uccelli sopra di loro — allenta la tensione dell'assieme, che senza dubbio appare meno felicemente impostato del *Battesimo* (n. 14 G), tanto da richiamare il malevolo giudizio dello Squarcione (riferito dal Vasari), il quale asseriva che queste figure sembrano più "statue antiche" che non "persone vive". Si direbbe un momento di stasi, il risultato di una lunga meditazione, non ancora giunta a esprimersi con pienezza e libertà; "l'amore dell'antico soverchia", come notava A. Venturi, ma comunque si tratta di amore e non d'un freddo esercizio accademico. Per l'attribuzione e la cronologia, vale il commento al n. 14 G. Dalla distruzione del 1944 si sono salvati soltanto alcuni frammenti del presunto centurione, in primo piano a destra.

**14** ⊞ ⊕ base 330° post 1453

### I. SAN GIACOMO CONDOTTO AL MARTIRIO.

Il tema concerne uno dei fatti miracolosi operati dal santo

condotto al supplizio, quali li riferisce la *Legenda aurea*; però, mentre per lo più si scorge il risanamento di uno storpio, il Fiocco pensa che si tratti della benedizione d'uno dei carcerieri del santo, convertitosi al cristianesimo. Ciò, a sinistra; sull'altro lato, uno sgherro respinge un portabandiera: episodio difficile da spiegare in rapporto col tema, ma ampiamente giustificabile con la necessità del pittore di equilibrare la composizione [Cipriani]; dietro, una "fuga vertiginosa" [Camesasca] di case, con curiosi alle finestre. Il grandioso arco trionfale reca sul pilastro la scritta: "L. VITRVVIVS / CERDO ARC/HITETVS", che pare desunta direttamente dall'Arco dei Gavi a Verona (demolito nel 1805) — eretto appunto dall'architetto Vitruvio Cerdo, da non confondere con l'omonimo e più celebre trattatista romano —, quantunque le testimonianze del monumento presentino varianti nell'iscrizione. Il milite, piantato al centro, con le mani sullo scudo, costituisce un evidentissimo ricordo del *San Giorgio* di Donatello (Firenze, Bargello); il Camesasca fa rilevare la sua assenza nel disegno di Donnington Priory (Collezione Hardy; mm. 165×254) — il cui riferimento al pittore pa-

dovano è pressoché unanime (salvo il Colvin [1907], che pensava allo scultore stesso, e il Fiocco [1949], che lo ascrive a Giambellino) —, e come la sua inserzione, nell'affresco, determini "la pausa indispensabile" al perfetto accordo fra i diversi fattori compositivi. È possibile che il Mantegna si sia valso di disegni d'antichità attinti nei ben noti 'quaderni' di Iacopo Bellini; comunque la misurata commissione fra elementi architettonici e figure umane — anche queste, si direbbe, intese a una funzione specificamente architettonica — consegue un perfetto equilibrio dialettico. La possibile derivazione da I. Bellini non sembra tuttavia un motivo sufficiente per riferire l'affresco a dopo il 1454, la probabile data delle nozze del Mantegna con la figlia del maestro veneziano. Comunque l'ammissione di uno stacco cronologico rispetto alle opere precedenti risulta pressoché concorde: tuttavia, mentre la maggioranza della critica [Eisler; Ragghianti, 1937; Rigoni; Tietze-Conrat; Arslan; ecc.] propende a credere che nell'intervallo sia avvenuta la stesura del *Martirio di san Cristoforo*, il Camesasca, datando 1453 circa, pensa piuttosto che quest'ultimo affresco venisse dipinto nello stesso tempo di quello in esame.

Ne sono note varie copie, così come di altri elementi del ciclo. Del presente e del *Martirio* dello stesso santo, il Cavalcaselle ne ricorda una su tela allora presso il marchese Dondi dell'Orologio in Padova. Un'altra, molto antica e forse coeva dell'originale, esiste nel Musée Jacquemart-André di Parigi (tempera su tavola, trasferita su tela, cm. 51×53; si veda il commento al n. 14 K). Una terza appartiene alla collezione de Schickler di Parigi.

**14** ⊞ ⊕ base 330° 1453-57

### J. IL MARTIRIO DI SAN GIACOMO.

Il Vasari indica qui vari personaggi ritratti dal vivo, più attendibilmente da ricercarsi nel *Martirio di san Cristoforo* e nel *Trasporto* dello stesso santo (si veda n. 14 K e L), con i quali il biografo può aver confuso il presente dipinto; tuttavia tali

14 K

14 L

*Copie dei n. 14 K e 14 L (Parigi, Musée Jacquemart-André); trattasi di tempere trasferite su tela (cm. 51×51 ciascuna) dalla tavola originaria e casualmente riunite con una copia del n. 14 I. È possibile che siano da identificare o con quelle citate dal Michiel a*

*Padova e a Venezia, o dal Cavalcaselle nella prima città. Il Kristeller le attribuì dubitativamente al Benaglio; ma più probabilmente spettano a seguaci del Parentino o di Domenico Morone; in ogni caso sono di poco posteriori agli affreschi prototipi.*

**14** ⊞ ⊗ base 332* *1452* ▤ ⦂

**L. IL TRASPORTO DEL CORPO DECAPITATO DI SAN CRISTOFORO.**

La testa del martire si scorge su un vassoio, al centro in primo piano. Le scoloriture concernono soprattutto la zona inferiore verso sinistra. Per ogni altro ragguaglio si veda il commento al n. 14 K.

**14** ⊞ ⊗ base 238 *1456* ▤ ⦂

**M. L'ASSUNZIONE DELLA VERGINE.**

Nel secolo scorso subì un arbitrario allungamento — ora eliminato —, per cui le figure degli apostoli scomparivano dietro l'altare, spostato nel fondo dell'absidiola. Le proporzioni originarie sono testimoniate da un'incisione di F. Novelli su disegno di L. Brida, compiuta avanti lo stacco del 1865, assieme al quale si eseguì l'alterazione suddetta (il Moschetti ["BMP"] 1931] negò, però, che il dipinto sia stato indebitamente

identificazioni ebbero qualche seguito nella critica moderna, e in particolare la Tietze-Conrat insiste nello scorgere "messer Bonramino cavaliere" (forse il giureconsulto e teologo Antonio Borromeo) nel personaggio all'estrema destra montato a cavallo; va pure notato che il riconoscimento delle sembianze di "Marsilio de' Pazzi", indicato dallo storiografo aretino nel "carnefice", non può che riferirsi al dipinto in esame. L'arbitrato del 1449 assegnava l'esecuzione dell'opera al Pizolo, ma fu dipinta dal Mantegna dopo la morte dell'ex socio, nel 1453 e comunque entro il '57 (per la cronologia si vedano pure i n. 14 I e L). Per spiegare il divario dell'ambientazione rispetto al dipinto gemello (n. 14 I), il Camesasca avanza l'ipotesi che il Pizolo avesse ormai fatto approvare dai committenti l'impianto ora visibile, e che il Mantegna abbia dovuto attenervisi; rimane tuttavia da notare che impaginazioni come la presente furono poi consuete nel *corpus* mantegnesco. Il Cavalcaselle, seguito da A. Venturi, pensava che la testa del santo fosse stata dipinta da un assistente; ma la tesi contrasta, se non altro, con la prassi operativa del tempo, che invece lascia adito a supporre più o meno estesi interventi collaborativi in zone 'secondarie'. Casomai, tale testa — con altre parti — poté essere stata ripassata posteriormente; ma ogni esame diretto è ostacolato dalla distruzione dell'affresco (1944), anche se i minutissimi frammenti che fu possibile recuperare vennero applicati su una riproduzione fotografica colorita con tinte più sommesse delle originarie.

**14** ⊞ ⊗ base 332* *1452* ▤ ⦂

**K. IL MARTIRIO DI SAN CRISTOFORO.**

La presente 'storia' appare intimamente unita alla successiva, dove prosegue la medesima ambientazione, dopo la pausa della colonna, qui inserita al posto delle cornici che dividono le altre composizioni del ciclo. Nel *Martirio*, la figura

gigantesca del santo, adesso quasi invisibile, torreggia all'estrema sinistra, addossata allo sguincio del finto stipite attraverso cui si scorgono le due composizioni; secondo il testo della *Legenda aurea*, gli arcieri, al centro, stupiscono che i dardi tirati al martire si siano diretti altrove, e che uno abbia colpito nell'occhio il tiranno, il quale assiste dalla finestra e ora viene soccorso da un cortigiano. Nel fondo, verso sinistra, un campanile non molto dissimile da quello di San Marco a Venezia; gli altri edifici sono quelli usuali d'una città del '400, con immessi motivi anticheggianti e tarsie tipiche del Rinascimento. Né la scritta sotto i due busti ("... PONE-NVS / ...") né le effigie stesse furono oggetto di identificazioni archeologiche. Il Vasari, forse riferendosi alla presente composizione (si veda però il n. 14 J), identifica lo Squarcione "in una figuraccia corpacciuta con una lancia e con una spada in mano", che, salvo la spada, si potrebbe riconoscere nel secondo arciere di schiena; il biografo segnala pure i ritratti di "Noferi [Onofrio] di m[es-

*Luca Brida (dis.) e Francesco Novelli (inc.), copia incisa del n. 14 M (1865 c.).*

ser] Palla Strozzi fiorentino" (presente a Padova negli ultimi anni di vita), "Girolamo dalla Valle medico eccellentissimo" nonché celebrato oratore e poe-

ta latino, "Bonifazio Fuzimeliga [Frugimelica] dottor di leggi" padovano, "Niccolò orefice di papa Innocenzio ottavo e Baldassarre da Leccio", entrambi non noti, e che, come i precedenti, sarebbero da ravvisare fra i personaggi "vestiti d'arme bianche brunite e splendide" (soldati, insomma, quali se ne scorgono anche nell'affresco successivo); dalla stessa fonte risultano inoltre effigiati "m[esser] Bonramino cavaliere" (si veda il n. 14 J), "un certo vescovo d'Ungheria", forse il noto umanista Giovanni Csezmicei (cioè Iano Pannonio, per il quale si veda il commento al n. 13), "Marsilio Pazzo [de' Pazzi]" (si veda pure il n. 14 J) e il pittore stesso: ma per alcuni di costoro non va escluso il riferimento al *Trasporto* (n. 14 L). Il Cavalcaselle rileva un addolcimento dei modi espressivi in dipendenza da contatti coi Bellini, e anzi scorgeva nelle tre figure di profilo sotto la finestra un intervento esecutivo di Gentile: l'ipotesi, pur dichiarata interessante [Cipriani], rimase senza seguito. Quanto alla cronologia, il Davies propose di ritardarla addirittura al 1459, concorde il Fiocco e, sembrerebbe, anche il Paccagnini; tuttavia la maggior parte degli studiosi recenti propende per un'anticipazione, al 1451 [Rigoni] o comunque entro il '53 [Camesasca] (si veda anche il commento del n. 14 I). Staccato dal muro, come s'è detto, nel 1865, questo e il dipinto gemello sfuggirono alla distruzione. Purtroppo si trovano in cattivo stato: il presente appare assai scolorito nella zona inferiore e sul lato di sinistra. Tanto che per l'identificazione del santo si deve ricorrere alla copia del Musée Jacquemart-André (riproducente questo e il dipinto gemello [tempere su tavola trasferite su tela, cm. 51×51 ciascuna], oltre al *San Giacomo condotto al martirio*, in modo da costituire un trittico), forse eseguita, poco dopo l'originale, da un pittore variamente considerato veronese o padovano. Altra copia del dipinto in esame e del successivo si conserva nella Pinacoteca di Parma.

**14 M** [Tav. II-III]

17 A

17 B

17 C, D, E [Tav. VI]

17 F

17 G [Tav. VII]

17 H [Tav. IV]

17 I [Tav. IV]

17 J [Tav. VII]

17 K [Tav. V]

17 L [Tav. V]

allungato). Poiché il Michiel [1523-24] assegna il dipinto al Pizolo, tale attribuzione trovò il credito maggiore prima che la Rigoni [1927] pubblicasse i documenti relativi alla cappella; tuttavia già il Cavalcaselle giudicava impossibile che il Mantegna non fosse intervenuto nella stesura, dove il Longhi [1926] riscontrava "la qualità più alta" dell'intero complesso; anche il Kristeller aveva indicato forti caratteri mantegneschi. Attualmente si pensa che il Pizolo abbia potuto iniziare alcuni degli angeli nella parte superiore. La riduzione a otto del numero degli apostoli diede luogo a una controversia coi committenti, in seguito alla quale si ebbe l'arbitrato di Pietro da Milano, nel febbraio 1457 (si veda nella premessa). Ovvio che allora il dipinto doveva essere stato compiuto da poco tempo; quanto all'inizio, almeno da parte del Mantegna, dovette di sicuro seguire alla morte del Pizolo (1453). Il Fiocco pensa che il modulo allungato della figura della Madonna sia da collegare a esempi bizantini nella chiesa stessa degli Eremitani. In cattivo stato a causa di scoloriture e cadute di colore, specialmente gravi nella zona inferiore.

## 15 ⊞ ⊗ 80×48 ▤ ⫶

### UN ARCIERE. Padova, Museo Civico.

Frammento di un affresco forse strappato in casa Dondi dell'Orologio a Padova [De Toni, "BMP" 1898]. A. Venturi lo ri-

feri al maestro o, almeno, alla sua cerchia diretta; concordemente respinto dalla critica successiva.

## 16 ⊞ ⊗ base 316 1452 ▤ ⫶

### MONOGRAMMA DI CRISTO CON I SANTI ANTONIO DA PADOVA E BERNARDINO. Padova, Museo Antoniano.

In origine si trovava sopra l'ingresso principale della basilica del Santo a Padova; fu staccato durante il primo conflitto mondiale, e sostituito in loco da una copia. Il testo della scritta circolare è: "IN NOMINE IESV OMNE GENVFLECTATVR CELESTIVM TERESTRIVM ET INFERNORVM"; quello della sottostante, sullo stipite marmoreo che reggeva la lunetta: "ANDREAS MANTEGNA OPTIMO FAVENTE NVMINE PERFECIT MCCCCLII XI KAL. SEX-

15

TIL". In seguito ai restauri secenteschi del Liberi, quando l'opera era ormai danneggiata dal tempo, e poi dello Zanon (1769), la sola figura di san Bernardino conserva qualcosa del dipinto originale. A causa di ciò rimane possibile apprezzare solamente l'impianto generale del dipinto, notevole per l'armonico legame delle figure.

## Il Polittico di San Luca

Il complesso (cm. 178×227) si trova a Milano, nella Pinacoteca di Brera. È costituito di dodici figurazioni entro cornice moderna, essendo stata distrutta (secondo una tradizione registrata da G. A. Moschini) da un fulmine, nel '600, quella originaria, che al dire dello Scardeone recava — "artificiose" inscritta — la firma del Mantegna (però l'aveva eseguita un "maestro Guglielmo", per ciò ricompensato nel 1454). La commissione del dipinto risale al 10 agosto del '53, ed entro il 19 febbraio '54 avveniva l'ultimo pagamento al pittore. L'opera era destinata alla chiesa di Santa Giustina in Padova; dalla cui cappella di San Luca fu trasferita alla sede odierna nel 1797, per desiderio delle autorità francesi. La Tietze-Conrat rileva l'arcaicità dell'impianto, che, secondo la Cipriani, fu imposto dai committenti; la prima studiosa riscontra inoltre risonanze coloristiche di Piero della Francesca, mentre la seconda adduce, più giustamente, rapporti con la bottega dei

Bellini. Assieme al Fiocco è da credere che la cornice originaria saldasse meglio i legami tra le varie parti, la cui dinamica rimane ora piuttosto ermetica per i rilevanti scarti di scala, non solo fra i personaggi dei due ordini, ma anche fra quelli dello stesso registro. Comunque va notata, nei singoli personaggi, la saldezza dell'impianto prospettico, in piena coerenza con la forza della cromia, pur ricchissima di fini passaggi, specie nei piviali dei due santi vescovi, d'una complessità che preannunzia ormai talune parti della Pala di San Zeno (n. 23). Unanimi l'ammissione dell'autografia e il riferimento al 1453-54. Gli unici divari fra gli studiosi concernono l'identificazione di alcuni santi raffigurati. Complessivamente buono lo stato di conservazione (ma si veda la trattazione delle singole parti).

## 17 ⊞ ⊗ 66×37 1453-54 ▤ ⫶

### A. SAN DANIELE DA PADOVA.

Quantunque i suoi attributi usuali siano la salvietta e il catino, mentre qui il santo regge un castello e una bandiera, le vesti di diacono e la tonsura sono considerate sufficienti per l'identificazione, d'altronde giustificata dall'ubicazione originaria del dipinto in Padova, di cui Daniele è fra i principali patroni.

## 17 ⊞ ⊗ 66×37 1453-54 ▤ ⫶

### B. SAN GEROLAMO PENITENTE.

Il ciottolo, nella sinistra, e il gesto dell'altra mano costituiscono indizi sufficienti per l'identificazione.

16

**17** ⊞ ⊘ — 1453-54 ▤ ⦂

### C. LA MADONNA ADDOLORA-TA.

Con le due opere successive costituisce la Pietà, e tutt'e tre si trovano su un unico elemento ligneo.

**17** ⊞ ⊘ — 1453-54 ▤ ⦂

### D. CRISTO IN PIETÀ.

Si veda la scheda precedente. Rivela evidenti caratteri in comune coi Bellini.

**17** ⊞ ⊘ — 1453-54 ▤ ⦂

### E. SAN GIOVANNI EVANGE-LISTA.

Si veda il n. 17 C. Conclude la tesa convergenza del gruppo della Pietà, fors'anche in modo più appariscente che non fosse prima dell'inserzione nella cornice moderna. Numerosi guasti e rifacimenti, specie nel fondo.

**17** ⊞ ⊘ 66×37 1453-54 ▤ ⦂

### F. SANT'AGOSTINO (?).

Gli attributi dei paramenti vescovili e del libro potrebbero convenire ad altri santi; comunque l'identificazione è concorde.

**17** ⊞ ⊘ 66×37 1453-54 ▤ ⦂

### G. SAN SEBASTIANO (?).

L'identificazione è concorde, ma in verità la spada a due mani e la palma del martirio convengono piuttosto ai santi Achilleo, Nereo o Pancrazio.

**17** ⊞ ⊘ 97×37 1453-54 ▤ ⦂

### H. SANTA SCOLASTICA.

Il libro, la palma e soprattutto le vesti monacali (Scolastica era badessa) non basterebbero a qualificarla; tuttavia la vicinanza ai santi Benedetto e Giustina (n. 17 K e L) e il patronato su Padova costituiscono sicuri elementi per l'identificazione.

**17** ⊞ ⊘ 97×37 1453-54 ▤ ⦂

### I. SAN PROSDOCIMO.

Le insegne vescovili e la brocca, assieme alla vicinanza a santa Scolastica e, soprattutto, a santa Giustina (n. 17 H e L), oltre al patronato su Padova, garantiscono l'identificazione.

**17** ⊞ ⊘ 119×61 1453-54 ▤ ⦂

### J. SAN LUCA (?).

Il riconoscimento fu posto in dubbio, giacché la presentazione al tavolo di scrittore non costituisce un elemento sufficiente, mancando un più sicuro richiamo all'attività pittorica (ma si possono indicare strumenti da miniatore, collegabili all'arte figurativa) e soprattutto il toro. Cosicché si propose di scorgere san Matteo, cui accenna esplicitamente il documento d'allogazione. Nondimeno la provenienza dalla cappella di San Luca fa propendere per l'identificazione più corrente. Si notano tracce di rifacimenti in corrispondenza di alcune crepe verticali.

**17** ⊞ ⊘ 97×37 1453-54 ▤ ⦂

### K. SAN BENEDETTO.

Le vesti monacali e il libro, oltre al patronato su Padova e alla vicinanza a santa Scolastica (n. 17 H), possono comprovare l'identificazione; il fascio di vegetali può essere posto in relazione con l'operosità del santo.

**17** ⊞ ⊘ 97×37 1453-54 ▤ ⦂

### L. SANTA GIUSTINA DA PA-DOVA.

L'identificazione con la titolare della chiesa cui fu destinato il complesso e con la patrona di Padova trova conferma nella palma, nel libro e nel-

*Dipinto appartenente alla Kress Foundation e depositato a Tulsa, in rapporto con l'opera n. 20.*

la spada (che le sta infilata nel cuore), oltre che nella vicinanza ai santi Prosdocimo e Scolastica (n. 17 I e H).

**18** ⊞ ⊘ 174×79 1454 ▤ ⦂

### SANTA EUFEMIA. Napoli, Gallerie Nazionali di Capodimonte.

Nel cartiglio sotto i piedi della santa, la scritta (autentica, nonostante i dubbi del Morelli [1880]): "OPVS ANDREAE MANTEGNAE - MCCCCLIIII"; in alto, a grandi caratteri: "SANTA EVFEMIA". La santa è raffigurata col leone riferentesi al suo martirio. Proviene dall'ex museo Borgia di Velletri. Nel '700 subì gravi danni in seguito a un incendio che carbonizzò quasi affatto la sottile tela originale, poi maldestramente foderata e impregnata di olî. Nel corso di un recente restauro (1960) venne liberata dall'annerimento e, specie nella parte superiore, i colori sono emersi con un nitore affine a quello della Pala di San Zeno (n. 23), di cui offre non pochi anticipi formali.

**19** ⊞ ⊘ 43,7×28,6 1454? ▤ ⦂

### MADONNA COL BAMBINO E SERAFINI (Madonna Butler). New York, Metropolitan Museum.

Di solito intitolata *Madonna dei cherubini*, ma in effetti gli angeli raffigurati sono serafini. Sembra che appartenesse al

dottor Fusaro di Padova, presso il quale il Cavalcaselle notò "la più mantegnesca delle opere attribuite" in quella città; poi, a Londra, fece parte delle collezioni J. Stirling-Dyce e Butler; quindi passò a New York alla raccolta di Michael Friedsman, dalla quale giunse per lascito alla sede attuale. Dopo i dubbi del Kristeller, sia pure limitati a una parte della stesura, A. Venturi, il Knapp e la Tietze-Conrat la considerarono derivazione da un perduto originale del maestro, assieme all'identico soggetto di Berlino (n. 20); sicuramente autografa per Yriarte, Bode, Berenson, Fiocco, van Marle, Suida e G. M. Richter ["A" 1939]; vicina al maestro, ma non sua, secon-

21

do la Mason-Perkins; probabile frutto di una collaborazione fra il Mantegna e i Bellini [Paccagnini], di cui sembra spettare ad Andrea l'impianto, in particolare per ciò che concerne il Bambino che, puntando i piedi contro il davanzale, costituisce un vigoroso accento spaziale [Camesasca]. Per il Richter stesso, del 1450; più attendibilmente il Fiocco la ritarda al '54. Non buono lo stato di conservazione, a causa di varie ripassature.

**20** ⊞ ⊘ 79×67 ▤ ⦂

### MADONNA CON IL BAMBINO E SEI ANGIOLETTI RECANTI I SIMBOLI DELLA PASSIONE. Berlino, Staatliche Museen.

Costantemente collegata dalla critica alla *Madonna e serafini* di New York (n. 19) per gli evidenti rapporti iconografici. Kristeller e Cavalcaselle la giudicano autografa; la Sandberg-Vavalà l'ascrisse attendibilmente a Lazzaro Bastiani, e la proposta trovò consenzienti la Collobi ["CA" 1949], il Longhi [1962] e altri; dopo di che il Berenson l'elencò come copia dall'originale mantegnesco della giovinezza; per il Coletti, prossima al gruppo di opere riferibili al Bastiani stesso, ma anche a Quirizio da Murano, Bartolomeo Vivarini o a loro seguaci; il Fiocco indicò in Iacopo Bellini l'ideatore della composizione prototipa. Nonostante ciò il dipinto fu esposto ancora nel 1951 a Sciaffusa come autografo giovanile del Mantegna.

Una tavola (cm. 71×52) della S. H. Kress Foundation, in deposito nel Philbrook Art Center di Tulsa (Oklahoma), presenta lo stesso gruppo della Madonna col Bambino in un paesaggio e, in alto, un festone di vegetali; l'attribuzione diretta al Mantegna, varie volte ripetuta nei cataloghi della Kress, sembra più attendibilmente da sostituire con un accostamento alla giovinezza del Correggio, il quale — come noto — lavorò col maestro o con la sua cerchia immediata.

**21** ⊞ ⊘ — ▤ ⦂

### TESTE DI IMPERATORI ROMANI, PUTTI E RACEMI. Venezia, Chiesa di Santa Maria Gloriosa dei Frari.

Il fregio, monocromo, si trova sopra un angolo scolpito del monumento di Federico Cornaro (morto nel 1380). Soprattutto perché il Sansovino [*Venetia* ...

19

20

93

22 [Tav. XIV-XVII]

*descritta*, 1604] dichiara la statua "di mano di Jacomo Padovano", oltre che per qualche affinità con l'ornamentazione Ovetari (n. 14), il Fiocco propose e ribadì l'attribuzione al giovane Mantegna durante il possibile ma non documentato soggiorno a Venezia nel 1454. L'autografia venne giustamente respinta dal Longhi ["Pan" 1934], concordi vari studiosi successivi (Tietze-Conrat, Cipriani ecc.).

**22** ▦ ✪  63×80  *1455*  ▤

## LA PREGHIERA NELL'ORTO.
**Londra, National Gallery.**

Firmata su una roccia: "OPVS ANDREAE MANTEGNA". In primo piano, Pietro, Giacomo e Giovanni, profondamente addormentati; la figura di Cristo inginocchiato giganteggia; sulla sinistra, in alto, un gruppo di angeli mostra i simboli della Passione in luogo del più con-

sueto motivo del calice; lungo una strada, che gira in strette curve, arriva da destra il gruppo degli sbirri guidato da Giuda; nude montagne coniche sovrastano la città, con le mura che vogliono sembrare qua e là rifatte come in seguito a escursioni guerresche, e con edifici richiamanti il Colosseo di Roma, il campanile veneziano di San Marco, ecc. Il dipinto fu in un primo tempo a Roma presso gli Aldobrandini, passò poi al cardinal Fesch (1845), quindi alla collezione Northbrook (1894), donde pervenne alla sede attuale. Il Cavalcaselle e altri la identificavano con un'operetta eseguita nel 1459 per Antonio Marcello, concordi il Kristeller, A. Venturi e parte della critica recente; il Knapp la giudicava posteriore al 1464; il Davies, osservando che dopo il 1470-75 il maestro usava latinizzare il suo nome in 'Mantinia', la pone genericamente entro questo periodo; il Fiocco, per l'antica appartenenza agli Aldobrandini, la crede eseguita durante il soggiorno romano, a nostro avviso ritardandone eccessivamente la datazione; situata al 1450 dalla Tietze-Conrat e dal Camesasca. Assieme al dipinto dello stesso tema di Giovanni Bellini, pure a Londra, venne po-

*Veduta d'assieme della Pala di San Zeno (n. 23) con la cornice originale, nella quale, invece dei n. 23 D, E e F, costituenti la predella, si trovano inserite copie ottocentesche.*

sta in relazione con l'analoga composizione nel 'libro dei disegni' di Iacopo Bellini [Goloubew, *Les Dessins de Iacopo Bellini*, 1908-12]. A confronto con l'identico soggetto nella predella di San Zeno (n. 23 D), si avverte, in quest'ultima, una elaborazione del motivo che indurrebbe a considerarla più tarda, quantunque non sia il caso

di scorgervi una qualità superiore, giacché l'esasperata sobrietà, che nella tavola londinese potrebbe apparire durezza, consegue un'urgenza altamente drammatica quale viene a mancare nel dipinto di Tours. Concorde l'ammissione dell'autografia. Buono lo stato di conservazione, risultato in seguito alla recente pulitura.

23 A [Tav. XX-XXI e XXII]

23 B [Tav. XX-XXI e XXIII-XXV]

23 C [Tav. XX-XXI e XXVI]

23 D

23 E [Tav. XVIII-XIX]

23 F

## La Pala di San Zeno

Il complesso venne commissionato dal protonotario Gregorio Correr, abate di San Zeno in Verona, per l'altar maggiore della basilica. Il conferimento dell'incarico al Mantegna risale probabilmente al 1456, poiché l'impresa risulta menzionata già in una lettera diretta al maestro da Ludovico Gonzaga il 5 gennaio '57 (si veda *Documentazione*, anche per i successivi accenni cronologici); nel giugno '59 non era forse terminata; tuttavia il compimento dovette avvenire entro i primi mesi del '60. Il Mantegna provvide anche a disegnare la cornice (cm. 480×450), che tuttora comprende le sei tavole (si veda qui sotto) del polittico. A tale proposito la Tietze-Conrat indica la "verità" dello spazio conseguito dal comporsi degli elementi architettonici dipinti, in particolare i pilastri, con quelli lignei della cornice; ma, casomai, sarebbe da rilevare certo senso di eccedenza e disordine, suscitato dalle colonne di quest'ultima. Secondo i risultati di recenti indagini, il pittore avrebbe creato nel presbiterio della chiesa un ambiente autonomo per il coro dei monaci; e la pala, ubicata sull'altare, ne sarebbe stata in qualche modo la naturale conclusione architettonica; inoltre egli avrebbe fatto espressamente aprire una finestra sul lato destro dell'edificio, cosicché la fonte reale della luce si identificasse con quella sottintesa dal dipinto [Mellini e Quintavalle, "CA" 1962]. Spetta al Kristeller il primo richiamo ai politici vivarineschi per quanto concerne l'impianto generale del 'trittico' formato dalle tre tavole maggiori (si veda in particolare quello datato 1446 e firmato da Giovanni d'Alemagna e Antonio Vivarini, raffigurante la Madonna in trono, quattro angeli reggi-baldacchino e quattro santi, nell'Accademia di Venezia); la critica successiva, a partire da Knapp e A. Venturi, ha piuttosto insistito sulle relazioni con la 'cuba', la struttura ideata da Donatello per l'altare del Santo di Padova; e il rapporto venne ribadito dopo la ricostruzione dell'altare stesso proposta da Fiocco e Sartori ["S" 1961]. Il complesso rimase integro sino al 1797, quando fu trasferito in Francia dal bottino napoleonico. Nel 1815 venne restituito soltanto il 'trittico' maggiore; la predella, rimasta oltralpe, andò smembrata fra Parigi e Tours, e nella cornice originaria la si sostituì con copie. Non si registrano dissensi sull'ammissione di una totale autografia, almeno per quanto riguarda gli elementi superiori (anche se la bottega poté intervenire nella stesura di parti 'minori'); né seri tentativi di precisare la cronologia 'interna', tranne che l'ovvio riferimento della predella agli ultimi mesi di attività. La parte originale tuttora in loco fu ripulita (1947) a cura del Gregorietti.

### 23 ▦ ⊕ 220×115 *1457-59 ▤ ⦂

### A. I SANTI PIETRO, PAOLO, GIOVANNI EVANGELISTA E ZENO. Verona, San Zeno.

I santi vennero identificati da L. Hourticq ["GBA" 1922]; quanto all'ultimo, sebbene manchi l'attributo più distintivo del pesce, si può ugualmente accoglierne il riconoscimento sia per le insegne vescovili sia per l'ubicazione stessa del dipinto. La sacra conversazione espressa nel 'trittico' maggiore del complesso si ambienta in un portico marmoreo con rilievi d'impronta classica; in alto, seminascosto da festoni vegetali, corre un fregio di putti, alternati a palme e medaglioni, e sorreggenti una ricchissima cornucopia; sopra, l'ambiente è chiuso da un soffitto trabeato. Altri medaglioni, con episodi mitologici, si figurano ricavati al sommo dei pilastri; non risulta identificato il tema dei tre visibili nel presente dipinto. Fra gli intervalli dei pilastri stessi, sopra una spalliera di rose, si scorge un cielo da "alta montagna", percorso da nuvole. Sono avvertibili tracce di crepe verticali, specie al centro in alto.

### 23 ▦ ⊕ 220×115 *1457-59 ▤ ⦂

### B. LA MADONNA COL BAMBINO IN TRONO E NOVE ANGELI. Verona, San Zeno.

Dal punto di congiunzione fra i due festoni, al sommo del dipinto, pende una lampada; il trono poggia su una pedana, coperta da un tappeto orientale e sorretta da un rosone e da due putti marmorei, di cui si scorge soltanto la parte inferiore; i due medaglioni sui pilastri (per l'ambientazione, si veda il n. 23 A) illustrano forse imprese di Ercole: comunque in quello a sinistra si scorgono un centauro e un armato; nell'altro, un cavallo e il domatore. La superficie cromatica è percorsa da una fitta trama di crepe, soprattutto nelle zone più scure.

### 23 ▦ ⊕ 220×115 *1457-59 ▤ ⦂

### C. I SANTI BENEDETTO, LORENZO, GREGORIO E GIOVANNI BATTISTA. Verona, San Zeno.

Per il primo personaggio valga il confronto con quello nel Polittico di San Luca (n. 17 K); gli altri risultano abbastanza esattamente qualificati dagli attributi tradizionali. Due figure non identificabili con certezza si scorgono nel medaglione sul pilastro in fondo (per l'ambientazione ecc., si veda n. 23 A); altre due, in quello sopra a san Lorenzo; e un tritone con ninfa, nel terzo: tema, quest'ultimo, che verrà ripreso dal maestro (n. 55). Si notano tracce di lunghe crepe verticali, forse corrispondenti alle commessure fra i vari elementi lignei del supporto.

### 23 ▦ ⊕ 70×92 1459-60 ▤ ⦂

### D. LA PREGHIERA NELL'ORTO. Tours, Musée des Beaux-Arts.

A sinistra, da Gerusalemme, sta sopraggiungendo il gruppo degli sbirri guidato da Giuda. Evidenti le somiglianze dell'impianto con quello dello stesso tema a Londra (n. 22). Mentre il resto della critica concorda sull'autografia, la Tietze-Conrat scorge preponderanti collaborazioni nella stesura, ciò che

24

ci trova concordi; in particolare, la studiosa crede di ravvisare la stessa mano cui, a suo dire, si deve l'*Adorazione* di New York (n. 7).

### 23 ▦ ⊕ 67×93 1459-60 ▤ ⦂

### E. LA CROCIFISSIONE. Parigi, Louvre.

A sinistra, il gruppo dei dolenti; all'altro lato, i soldati che si giocano ai dadi le vesti di Cristo. Il Castelfranco segnala che il cavallo fra le due croci (così più articolato di quello in primo piano, all'estremità destra, o dell'altro, al centro in fondo) deriva dal monumento di Niccolò III a Ferrara, per il quale lo scultore Baroncelli aveva presentato il modello nel 1443. Il Camesasca richiama la pittura nordica per le due figure sbucanti al centro, dal piano ribassato antistante. Due figure non identificabili con certezza si scorgono nel medaglione sul pilastro in fondo (per l'ambientazione ecc., si veda n. 23 A). Fra i numerosi copisti del presente dipinto è almeno da ricordare Degas.

### 23 ▦ ⊕ 70×92 1459-60 ▤ ⦂

### F. LA RESURREZIONE. Tours, Musée des Beaux-Arts.

Secondo la Tietze-Conrat, le norme della prospettiva canonica sono trasgredite, perché le direttrici di fuga del sarcofago risulterebbero differenti da quelle del suolo: ma rimane da stabilire quali siano esattamente queste ultime. La stessa studiosa — seguita dal Meiss [1957] — pensa che la stesura spetti totalmente alla bottega, e che la sola figura del Risorto possa risalire a un'idea del maestro: quanto alla traduzione pittorica, l'ipotesi ci trova d'accordo. Il Fiocco rileva minuzie fiamminghe e analogie con Andrea del Castagno; casomai sembra piuttosto da richiamare

Piero della Francesca, specie per il personaggio all'estrema destra.

### 24 ▦ ⊕ 83,5×58,2 ▤ ⦂

### LA CROCIFISSIONE. New York, Historical Society.

Proviene dalla collezione Bryan. Tradizionalmente ascritta al Mantegna, finché il Berenson ["GBA" 1896] non l'assegnò con dubbi a Iacopo da Montagnana; il riferimento al padovano venne ripreso dal Suida ["AA" 1946] considerandola posteriore alla Pala di San Zeno (n. 23). Ciò che fu respinto dalla Tietze-Conrat, rilevando come non esistano opere mantegnesche con una folla in disordine, entro uno spazio così poco coordinato, con armature tanto romanticamente intese e drappeggi del pari disarticolati, come nel dipinto in esame; per la studiosa trattasi comunque d'un lavoro prossimo al Mantegna giovane, ma eseguito sulla fine del '400. Secondo la Cipriani, il richiamo a prototipi del maestro si rivela assai precario. Il cattivo stato di conservazione non consente giudizi più precisi.

### 25 ▦ ⊕ 1457* ▤ ⦂⦂

### COMPIANTO SUL CADAVERE DEL GATTAMELATA.

Secondo lo Scardeone [1560] questo tema sarebbe stato espresso dal Mantegna sopra il caminetto d'una dimora "in contrata Santa Lucia" di Padova, dove il maestro possedette una casa fino al 1472; il Giovio [1524] ripete la notizia. Gli accenni suddetti sembrano confermati da un disegno già a Norimberga e ora nella Wallace di Londra, una cui copia incisa (1777) dal Prestel reca la scritta: "Gattamelata de Narni ... mort en 1440 [ma 1443] et pleuré par le peuple, gravé d'après le dessin de même grandeur de Andrea Mantegna ...". Inoltre la composizione fu incisa dal 'Maestro A.C.' in una stampa del 1555, comprendendola entro pilastri simili a quelli che dovevano trovarsi nei vari elementi del *Trionfo di Cesare* (n. 63). La Tietze-Conrat ["BM" 1935] ha proposto di collegare il dipinto in argomento col figlio del Gattamelata, Giannantonio, pure lui generale, morto nel 1457; tuttavia la studiosa ammette le difficoltà di far risalire al Mantegna il prototipo delle opere grafiche qui richiamate, dovendosi pensare piuttosto al Pollaiolo; ciò che in parte venne condiviso da Berenson, van Marle [*The Development ...*, XI] e altri; mentre il Fiocco crede del Mantegna stesso il foglio Wallace.

### 26 ▦ ⊕ 44×33 *1459* ▤ ⦂

### RITRATTO DEL CARDINALE LUDOVICO MEZZAROTA. Berlino, Staatliche Museen.

Fu a Padova in possesso di Francesco Leone, erede degli Ovetari; pervenne alla sede attuale (1830) colla collezione Solly di Berlino. Per la stretta affinità espressiva col *Gattamelata* di Donatello, la Tietze-Conrat — seguita dal Paccagnini — lo ascrive al periodo padovano del Mantegna. Niente però vieta di credere che, pur dopo il trasferimento a Mantova, il maestro potesse essere rimasto fedele a elementi padovani: perciò sembra ragionevole l'opinione dei vari studiosi che lo considerano eseguito durante il Concilio ecclesiastico indetto appunto a Mantova da Pio II (maggio 1458 - febbraio 1460), al quale l'effigiato partecipò. L'identificazione si valse di una medaglia raffigurante il cardinale e dell'incisione, tratta dal dipinto stesso, con la variante del costume [Tietze-Conrat], e

*Disegno appartenente alla Wallace Collection di Londra, in rapporto con il dipinto di cui al n. 25.*

95

pubblicata negli *Illustrium virorum elogia* del Tomasino (1630). Una ben concertata giustapposizione di toni violenti riesce a esprimere in questa scultorea testa una profonda, umanissima carica vitale [Tietze-Conrat]. Abbastanza buono lo stato di conservazione, nonostante alcune crepe verticali e la probabile alterazione del fondo (forse, in origine, verde cupo).

## 27 71,5×62 *1460?

**RITRATTO DEL DUCA FRANCESCO SFORZA. Washington, National Gallery (Widener).**

Reca la scritta: "AN. MANTINIA PINX. ANNO MCCCCLV", che assai attendibilmente il Berenson giudicò contraffatta. Già il Morelli l'ascriveva a F. Bonsignori, concorde il Berenson stesso; la Shapley ["AQ" 1945] — cui si deve l'identificazione dell'effigiato sulla scorta di alcuni chiaroscuri già appartenenti agli eredi del Bonsignori stesso — propose di scorgervi piuttosto una copia di quest'ultimo da un originale del Mantegna, da ascriversi a poco prima del 1460 (per le analogie col *Mezzarota* [n. 26]), data che il copista avrebbe mal interpretato [Tietze-Conrat]; l'opinione della studiosa è la più concordemente accolta dai critici recenti. Spesse vernici deprimono il dipinto, ostacolando un giudizio sicuro.

26

27

## 28 385×220 1460?

**SAN BERNARDINO. Milano, Brera.**

Sull'architrave figura incisa la scritta: "HVIVS LINGVA SALVS HOMINVM"; nel cartiglio del basamento si scorge una data generalmente intesa "1460", ma dal Fiocco interpretata "1468", e dalla Tietze-Conrat, "1469". Il santo, affiancato da due angeli, reca il monogramma di Cristo e poggia su una pedana ricoperta da un tappeto orientale; il fondo, simulante tarsie marmoree, ricorda quello donatelliano dell'altare del Santo a Padova e quello dipinto dietro alla *Corte* (n. 50) nella Camera degli Sposi; sopra l'architrave, quattro cherubini. Pervenne da Mantova (1811). Per lo più considerato di bottega o di scuola; secondo il Fiocco è invece del Mantegna stesso sotto l'ascendente di Donatello; Longhi e Camesasca considerano del maestro l'ideazione e, almeno in parte, la stesura: nonostante i ritocchi e il denso strato di sudiciume, sembra l'opinione più convincente.

## 29 33×25 1460*

**PROFILO D'UOMO. Milano, Museo Poldi Pezzoli.**

D'incerta provenienza. Il Cavalcaselle, il Morassi [1936] e altri lo assegnano ad artisti ferraresi; buona parte dei restanti critici, seguendo il Berenson [1894], pensano a Francesco Bonsignori, tranne il Coletti [1953], che lo ascrive a Gentile Bellini. Per quanto malamente restaurato e sudicio, vi si può riconoscere la mano del maestro [Suida, "AA" 1946; Longhi, 1962; Camesasca, 1964], anche in considerazione delle affinità stilistiche col *San Bernardino* di Brera (n. 28).

## 30 65,5×57

**SANTA (o MADONNA) A MANI GIUNTE. San Diego (California), Fine Arts Museum.**

Reca la scritta: "Andreas Pat.", verosimilmente falsa, in ogni caso senza riscontri nel *corpus* artistico del Mantegna, e per la Tietze-Conrat forse frutto di una malintesa ripassatura da parte di qualche restauratore (si veda qui sotto). Nel fondo, un paesaggio con strada serpeggiante fra mura, come nel *San Giorgio* di Venezia (n. 41). Reso noto dal Suida ["AA" 1946] quale autografo del 1460 circa, concordi il Fiocco ["BM" 1949], il Gronau [comunicazione privata] e il Morassi [*id.*]. Per la Tietze-Conrat, assai posteriore, e forse di Antonio da Pavia, solito firmarsi "Ant[us] Papien [sis]", così da giustificare la scritta di cui sopra. Escluso anche dalla Cipriani.

## 31 25,5×18 1461?

**RITRATTO DI UN PRELATO DI CASA GONZAGA. Napoli, Gallerie Nazionali di Capodimonte.**

Il Frizzoni ["N" 1895] riconobbe l'effigiato in Francesco Gonzaga, secondogenito del marchese Ludovico III che, sedicenne, ricevette il galero nel 1461; l'identificazione trova pressoché concordi gli studiosi successivi, tranne il Fiocco, il

28

30

quale pensa si tratti piuttosto di Ludovico Gonzaga, fratello minore del precedente, eletto vescovo a nove anni, nel 1468: ciò che venne messo in dubbio dalla Cipriani, ribadendo la precedente identificazione e, pertanto, asserendo per il dipinto la data 1462 o poco dopo. Il tradizionale riferimento al maestro è respinto da Tietze-Conrat, Meiss, Arslan e Gilbert, che lo considerano copia da un disperso originale, di dimensioni maggiori; il resto della critica lo accoglie. Infelici ripassature e sudiciume ne alterano l'aspetto.

29

31 [Tav. XXXIX]

## 32 192×82

**MADONNA IN TRONO COL BAMBINO. Milano, Collezione Gallarati Scotti.**

Reca la scritta: "Andrea Mantinea p. p. 1461", sicuramente falsa. Dopo che il Cavalcaselle l'aveva assegnata a Liberale da Verona, già il Kristeller la dava a Bernardino Butinone, concordi gli studiosi successivi, che propendono per lo più a datarla 1470 circa.

## 33 *1464

**Pala d'altare.**

Destinata alla cappella del Palazzo Ducale di Mantova. Da una lettera del Mantegna parrebbe essere stata compiuta, tutta o in parte, nel 1464 (si veda *Documentazione*); la ricordarono poi il Vasari e altri. Per lo più viene identificata col 'Trittico' degli Uffizi (n. 34; si veda per ulteriori ragguagli); vi si oppone però la Tietze-Conrat.

## Il 'Trittico' degli Uffizi

Il complesso, inserito entro cornice ottocentesca, si trova agli Uffizi di Firenze. Nel 1587, a Valle Muggia (Pistoia), era in proprietà di don Antonio de' Medici, figlio di Bianca Cappello; nel 1632, per eredità, pervenne alle collezioni granducali di Firenze, peraltro smembrato in tre parti, di cui la centrale (n. 34 B) ascritta al Botticelli, le altre col nome del Mantegna. Soltanto nell'inventario del 1784 le tre tavole recano l'attribuzione al padovano; e appena nel 1827 vennero collegate nella cornice accennata sopra. Già il Kristeller e

il Yriarte identificavano il complesso con la "tavoletta nella quale sono storie di figure non molto grandi, ma bellissime", vista dal Vasari (1565) nella cappella del Palazzo di Mantova; di conseguenza veniva riferito al 1464, la data in cui (si veda *Documentazione*) il Mantegna accennava, in una lettera, alla verniciatura d'una "tavola" per la cappella suddetta. Poiché lo Scannelli [*Microcosmo della pittura*, 1657] segnala la presenza di opere del Mantegna nella stessa cappella, il Fiocco ne dedusse l'impossibilità dell'identificazione col complesso di Firenze. Ma, a parte il fatto che i dipinti del maestro per il locale in argomento dovevano essere assai più di tre, rimane da notare che lo Scannelli non scriveva in seguito a esame diretto, sì per sentito dire [Tietze-Conrat]. Comunque il Fiocco prospettò che il trittico sia stato dipinto per qualche Medici, durante il soggiorno toscano del maestro (1466-67); ma il Longhi ["Pan" 1934] oppose, giustamente, che il raggruppamento degli Uffizi difetta di coerenza, al punto da suscitare forti dubbi sulla possibilità che le tavole componenti venissero concepite per stare così riunite, e non avessero avuto piuttosto una differente destinazione: appunto, nella cappella ducale di Mantova. L'ipotesi fu avanzata in concomitanza alla ricostruzione ideale — da parte dello stesso critico — della *Morte della Vergine* (n. 34

32

D e E), determinando un dipinto di grandezza uguale a quella degli 'sportelli' del trittico fiorentino; e, soprattutto, indicando, fra la *Morte* stessa e l'*Ascensione* degli Uffizi (n. 34 A), una concordia stilistica assai più intima che non fra quest'ultima e gli altri elementi del complesso fiorentino. Ancora, il Longhi, a conferma di tali divari formali, poté provare come l'elaborazione di questi dipinti si protraesse a lungo; a suo dire sarebbero pure intervenuti motivi 'estranei': cioè, la *Morte* poté essere stata ideata per accompagnarsi al-

96

l'*Ascensione*, poi la si sarebbe scartata essendosi forse deciso di limitare le 'storie' a quelle della vita di Cristo, e vi fu sostituita la *Circoncisione* (n. 34 C). Il Fiocco e, in parte, la Tietze-Conrat (vedi qui sotto), respinsero queste argomentazioni, che invece furono accolte dal resto della critica. Quantunque a rigore non sia stata ancora raggiunta la prova definitiva del legame fra il 'Trittico' degli Uffizi e il ciclo dipinto per la cappella mantovana, si forniscono qui gli ulteriori ragguagli relativi a quest'ultima. La Tietze-Conrat, per la quale l'identificazione è inaccettabile, fa notare come il Vasari definisca "piccola tavoletta" anche la pala di Tiziano nella sagrestia della Salute a Venezia, alta quasi tre metri, (mm. 446 per metri, deducendone che sull'altare della cappella dei Gonzaga poteva trovarsi un'ancona di rispettabili dimensioni, forse con figure al naturale. Inoltre la studiosa si rifà ["GBA" 1943] alle tre incisioni della scuola mantegnesca raffiguranti la *Deposizione dalla croce* (mm. 463× 361; Bartsch, n. 4), la *Deposizione nel sepolcro* (id.; Id., n. 2) e la *Discesa al Limbo* (mm. 446 ×348; Id., n. 5), e pensa che riproducano dipinti già nella cappella più volte trattata (senza escludere che questi fossero affreschi, collegabili al 1460-70; se tuttavia si fosse trattato di tavole, la Tietze-Conrat è del parere che quella relativa al Limbo non poté essere stata intrapresa prima del 1468 (si veda il n. 34 F).

**34** 86×42,5 1460*

### A. L'ASCENSIONE.

I personaggi tradizionali sono raffigurati in un paesaggio che richiama quello della *Crocifissione* al Louvre (n. 23 E). Il collegamento con l'inizio del periodo mantovano è pressoché unanime (fa eccezione soltanto il Fiocco [si veda sopra]).

Un disegno (su carta grigioverde con lumeggiature bianche; mm. 290×218; Cambridge [Massachusetts], Fogg Art Museum; già nelle collezioni di E. Moscardo e L. Grassi) con il gruppo degli apostoli a destra, è considerato studio o cartone preliminare [Mongan - Sachs, *Drawings in the Fogg Museum*, 1940; ecc.] o, con maggiore concordia [Popham, "OMD" 1932; Tietze-Conrat; ecc.], escluso dal novero degli autografi, quale copia. Anche per esso potrebbero comunque valere le considerazioni di ordine tecnico come nel caso del foglio di Amburgo (si veda n. 34 C).

**34** 76×76,5 1462*

### B. L'ADORAZIONE DEI MAGI.

Il supporto è concavo: secondo il Kristeller, per adattarsi a un'absidiola che poteva trovarsi nella cappella ducale di Mantova (si veda sopra); al dire della Tietze-Conrat, unicamente per causare un'acrobazia di ordine prospettico. Il riferimento all'inizio del soggiorno in Mantova risulta concorde (con variazioni fra il 1462 e il '64 circa): in sostanza unanime, tranne da parte del Fiocco (vedi sopra). Il recente restauro ha rivelato una estesa lacuna, già coperta da grossolana ridipintura. La parte centrale della composizione si trova riprodotta in una

34 A [Tav. XXXIV]

stampa incompiuta (mm. 390× 283; Bartsch, n. 9) per lo più riferita alla scuola del Mantegna.

**34** 86×42,5 *1464-70*

### C. LA CIRCONCISIONE.

Il Saxl ["JWCI" 1938-39] pose in dubbio l'identificazione del tema (pur così palmare), prospettando invece che si tratti di una Presentazione al tempio, soprattutto perché entro le lunette, in alto, sono raffigurati il Sacrificio di Abramo e Mosè che mostra le Tavole agli israeliti: 'storie' considerate precorritrici, appunto, della Presentazione. Da notare, oltre alla sacra famiglia, il sacerdote e il suo assistente, il bambino con la ciambella, a destra, che potrebbe essere il piccolo Battista con alcuni parenti. La Tietze-Conrat scorge rapporti fra la presente ambientazione architettonica e quella progettata dal Laurana (che operò a Mantova nel 1465) per la cappella del Perdono in Urbino; comunque risulta affine a quella, in rovina, nel *San Sebastiano* di Vienna (n. 43). Oltre alle ipotesi richiamate sopra per la cronologia, è da registrare quel-

*Disegno (a pennello, rilevato con biacca, su carta grigio-verde; mm. 290×218; Cambridge [Mass.], Fogg Art Museum) variamente collegato alla zona inferiore del n. 34 A. - Disegno (a punta d'argento, rilevato con biacca, su carta grigio-verde; mm. 281×99; Amburgo, Kunsthalle) riferibile alla figura della Vergine del n. 34 C.*

34 B [Tav. XXXIII]

la del Longhi, che stabilì come termine *post quem non* del compimento il 1473, l'anno in cui l'architettura qui dipinta ispirò un foglio miniato di Liberale da Verona; poiché lo stesso studioso prospettò, assai attendibilmente, che il fondo visibile ora fosse il risultato d'una rielaborazione (da ascriversi comunque a non prima del 1465, se è da accogliere il rapporto col Laurana), per l'impostazione delle figure si può accogliere il 1464 [Camesasca], fors'anche qualche tempo prima. Il recente restauro del 'Trittico' fiorentino ha eliminato, soprattutto nel presente elemento, numerose ridipinture, confermando i divari stilistici rispetto agli altri due pannelli del complesso (già la Tietze-Conrat indicava l'estraneità della presente Madonna rispetto a quella dell'*Adorazione dei Magi* [n. 34 B]), e anzi accentuandoli.

Fiocco, Tietze-Conrat e Ragghianti [1962] considerano derivato dalla *Circoncisione* il bel disegno di Madonna col Bambino (inchiostro e divari su carta grigio-verde; mm. 281×99) nella Kunsthalle di Amburgo;

altri [Pauli, *Catalogo del museo*, 1927; Popham, 1930; Baniel e Clark, 1931; Mezzetti, 1961] lo giudicano modello autografo per la stesura del gruppo nel dipinto, postulando l'affinità del colore con quello delle preparazioni 'a verdaccio' in uso nella pittura quattrocentesca. Il Ragghianti nota a ragione che il profilo della Madonna appare ripassato grossolanamente.

**34** 27,5×17,5 1461*

### D. CRISTO CON L'ANIMULA DELLA MADONNA. Ferrara, Collezione M. Baldi.

Nella seconda metà dell'800 passò dalla raccolta di G. Barbianti in Ferrara a quella di E. Vendeghini nella stessa città; per successione è recentemente pervenuto alla sede odierna. Danneggiato nella figura di Cristo, che rivela restauri di accurata fattura. Per ogni altro ragguaglio, si veda il n. 34 E.

**34** 54×42 1461

### E. LA MORTE DELLA MADONNA. Madrid, Prado.

L'opera fu ritagliata in alto, verosimilmente per eliminare una zona malridotta, e le vennero conferite le stesse dimensioni della *Sacra conversazione* di Boston (si veda n. 34 F, anche per le vicende successive), allorché (1586-88) si trovava a Ferrara. Nel catalogo della vendita dei beni di Carlo I d'Inghilterra risulta così designata: "La morte della Vergine, acquerelli, Mantignia"; giunse alla sede odierna dalle proprietà della corona di Spagna. Come si è accennato sopra, spetta al Longhi ["Pan" 1934] l'identificazione del *Cristo con l'animula della Madonna* (n. 34 D) quale frammento della zona superiore asportata: la ricostruzione ideale trovò concorde la critica, salvo qualche dubbio avanzato dal Fiocco. Quanto all'autografia della *Morte*, viene pure ammessa concordemente; soltanto A. Venturi, che pure l'aveva accolta in un primo momento [*Storia ...*, 1914, VII 3], poi la contestò ["L" 1924] a favore del Giambellino, per il timbro del colore, il rapporto che collega figure e architettura, e per il gusto del pae-

34 C [Tav. XXXV-XXXVII]

saggio. Circa quest'ultimo, rimane da notare che, se il Venturi, preso dalla sua ipotesi, vi scorge genericamente "una laguna", più concordemente vi si scorge il Mincio: o percorso da ponte San Giorgio, che collegava i due castelli di Mantova [Kristeller] (in pratica, una veduta della Camera degli Sposi [Coletti, 1959]), o dal ponte dei Molini, alla parte opposta

34 D

*Grafico concernente la ricostruzione ideale del dipinto di cui facevano parte le opere n. 34 D e 34 E (corrispondenti alle zone in grigio).*

della città [Hendy, Catalogo dello Stewart Gardner Museum, 1931], ovvero dalla diga fra porta Pusterla e Ceresca, fatta ricostruire dal marchese Ludovico III [Tietze-Conrat]. Per concludere sull'iconografia, sembra da respingere l'ipotesi della Tietze-Conrat che non si tratti d'una *Dormitio Virginis*: la Madonna apparirebbe qui ben morta, e non dormiente, e gli Apostoli starebbero recitando l'officio dei morti, dato che reggono candele e turibolo; in effetti, con la ricostruzione del Longhi, gli elementi tipici della *Dormitio* (in particolare, Cristo che raccoglie l'anima della Vergine) sono presenti. In non perfetto stato di conservazione; varie crepe verticali.

## 34 ⊞ ⊗ —— 56×43 —— 🗐 ⁝

### F. SACRA CONVERSAZIONE.
**Boston, Isabella Stewart Gardner Museum.**

In basso, a destra, reca la scritta: "ANDREVS MANTINA [*sic*]", che assai attendibilmente il Fiocco giudica posteriore. A sinistra della Madonna, che tiene il Bambino rivolto al piccolo Battista, santa Elisabetta, e accanto a questa, la Maddalena; le altre sante del gruppo non sono identificabili. Sull'alta rupe, san Francesco riceve le stimmate assistito da frate Leone; dinanzi all'apertura della caverna sottostante, san Gerolamo penitente; sempre nel fondo, a destra, san Cristoforo guada il fiume sorreggendo il Bambino; dietro, san Giorgio assale il drago; più dietro ancora, una città con edifici classici. La vicenda 'esterna' del dipinto venne così ricostruita dallo Hendy [Catalogo dello Stewart Gardner Museum, 1931]: n. 33 del catalogo delle opere di Carlo I d'Inghilterra redatto dal Vertue (con l'indicazione delle seguenti dimensioni: altezza, 1 piede e 9 pollici; larghezza, 1 piede e 5 pollici: corrispondenti a quelle odierne); dopo l'esecuzione del re (1649), in proprietà d'un certo Jasper, forse agente del ministro di Spagna; poi alla corte spagnola; quindi al principe Drago, genero della regina Cristina di Spagna; dal quale passò alla signora Gardner. Va notato che già a Londra si trovava assieme alla *Morte della Madonna* ora al Prado (n. 34 E), e il fatto indusse lo Hendy a collegare le due opere, presumendo anche

**34 E** [Tav. XXXI-XXXII]

per la presente una sicura origine mantovana e riscontrandovi un'autografia riferibile al 1460 circa. L'opinione fu però giustamente respinta dalla Tietze-Conrat, rilevando che in effetti il dipinto in esame non risulta documentato a Mantova; invece è forse da riconoscersi in un quadro che, nel 1586-88 — assieme alla *Morte* suddetta e all'*Adorazione* di New York (n. 7), allora appartenenti a Margherita Gonzaga, moglie di Alfonso II d'Este — fu ripulito da B. Filippi (il quale presumibilmente lo ridusse alle dimensioni attuali): e l'identificazione trova conferma nella identità della successiva vicenda dei tre dipinti. Peraltro l'attribuzione al maestro della *Sacra conversazione* suscitò sempre forti dubbi: il Kristeller e il Frizzoni la esclusero senz'altro; il Fiocco sospese il giudizio a causa del cattivo stato di conservazione; il Berenson la riconobbe, però indicando interventi collaborativi; il Longhi [1934] l'ammise, ma poi [1962] sembrò limitarla alla sola ideazione; la Tietze-Conrat l'escluse in pro d'un ferrarese verso il 1480; la Cipriani appare incerta. Quanto alla cronologia, rimangono da citare quelle avanzate dal Fiocco stesso, 1483-95, e dal Longhi, fors'anche posteriore. Difficile la determinazione della tecnica: potrebbe trattarsi di tempera con estese ripassature a olio.

## 34 ⊞ ⊗ —— 71×55,5 1500* —— 🗐 ⁝

### G. LA DISCESA AL LIMBO.
**Già ad Asolo, Collezione Valier.**

Come risulta meglio dalle incisioni richiamate qui sotto, il tema dovrebbe concernere propriamente l'ingresso di Cristo nel Limbo. La presente opera, da anni sul mercato antiquario, fu resa nota dal Fiocco come autografo dell'estrema attività del Mantegna, limitatamente alla zona inferiore: il paesaggio, in alto, sarebbe stato dipinto dal Correggio (per quanto riguarda quest'ultimo, l'ipotesi non ebbe alcun seguito). Altra versione, limitata alla parte con le figure, venne pubblicata dalla Tietze-Conrat (tavola, cm. 40 ×43; Taynauilt [Argyll], Collezione Stephen Courtauld), e sembra di qualità migliore, per quanto è possibile giudicare dalle fotografie; e una terza, assai scadente, trovasi nella Pinacoteca di Bologna. Da una lettera diretta dal Mantegna a Ludovico Gonzaga il 28 giugno 1468, risulta che il maestro aveva iniziato una "instoria del limbo"; ma, a parte che la let-

tura del passo risulta dubbia (talora si è inteso: "del libro"), l'opera in questione parrebbe di formato maggiore di quelle note; inoltre contrastano l'identificazione motivi cronologici, in quanto le tre versioni suddette sembrano riflettere un'ideazione assai posteriore, appunto dell'ultima attività: su ciò la critica ultima appare concorde (si veda, però, qui sotto), così come unanimemente esclude l'autografia del maestro. Relative a questo tema vanno citate alcune opere grafiche: anzitutto un'incisione di scuola (già richiamata nella premessa al 'Trittico' degli Uffizi, alla quale si rinvia anche per altre notizie); poi, un disegno della sola figura di Cristo (mm. 284 ×202; Berlino, Kupferstichkabinett, n. 622), considerato copia [cfr. Mezzetti, 1961], ma il cui collegamento al maestro è provato da una replica incisa del '700 con le iniziali del Mantegna e la data 1492; infine, da un altro disegno (mm. 372×280; Parigi, École Nationale Supérieure des Beaux-Arts, n. 189), per lo più creduto del Giambellino e datato 1473, ciò che ripropone il quesito cronologico del prototipo dei dipinti qui esaminati: quesito, secondo noi, da lasciare aperto finché non siano meglio precisati i rapporti fra il padovano e i parenti veneziani, e non venga accertata l'attribuzione del foglio parigino.

## 35 ⊞ ⊗ —— 1463-64* —— 🗐 ∶

### Ornamentazioni. Già a Cavriana (Mantova), Castello.

I lavori pittorici nel castello di Cavriana, del quale in pratica non sussiste più nulla, risultano già in corso il 19 febbraio 1463, e si sa che Samuele da Tradate — forse figlio del più noto Iacopino — era impegnato ad attuare, in alcune sale ("d'Ercole", "del Sole" e altre), dipinti verosimilmente a fresco, riproducendo disegni del Mantegna. L'impresa non era ancora compiuta nel marzo 1464. Alle ornamentazioni di Cavriana o di Goito — ma non si possono nemmeno escludere ulteriori cicli analoghi — vennero riferiti [Kristeller; da Camesasca] temi come il *Baccanale con sileno* e il *Baccanale con tino*, noti da stampe (rispettivamente di mm. 307× 445 e 305×433), ascritte, quanto alla traduzione su lastra, al Mantegna stesso [Vasari; fino a Mezzetti; ecc.] o ad altri sotto la sua sorveglianza [Tietze-Conrat; ecc.], in un periodo che, a seconda dei vari studiosi, spazia dal 1465-70 (per l'ideazione [*Id.*], comunque concordemente riconosciuta del maestro) al 1490 circa [Hind] (dato che del primo esiste una copia incisa dal Dürer nel 1494), ma che par giusto fissare verso il '70 [Mezzetti; ecc.]. Quanto al contenuto, fu indicata [Tietze-Conrat] una vaga affinità col capitolo di Filostrato sugli Andriani; ma con maggiore unanimità si ammette la derivazione da sarcofaghi classici, quantunque non se ne sia mai indicato nessuno con persuasiva certezza. La fortuna delle due composizioni rimane testimoniata pure da ornati fittili che le riproducono, reperiti in Emilia, dove ornavano esterni e interni di parecchi edifici.

## 36 ⊞ ⊗ —— 1464* —— 🗐 ∶

### Ornamentazioni. Già a Goito (Mantova), Castello.

L'edificio è ridotto a pochi ruderi. Nell'aprile 1464 (si veda *Documentazione*) il Mantegna vi si trovava occupato già da qualche mese: a ciò si riducono le notizie superstiti. (Per il possibile tema e altri ragguagli, si veda n. 35).

## 37 ⊞ ⊗ —— 70,2×35 1465* —— 🗐 ∶

### IL BAMBINO BENEDICENTE.
**Washington, National Gallery of Art (Kress).**

L'abbigliamento del Bambino è molto simile a quello del fan-

*(Dall'alto) Incisione (mm. 446× 348), per lo più attribuita alla bottega del Mantegna, relativa al n. 34 G. - Disegno (a inchiostro bruno; mm. 372×280; Parigi, École Nationale Supérieure des Beaux-Arts), di solito assegnato a Giambellino, in rapporto col n. 34 G. - (In basso) Disegno (a penna e acquerello, rilevato a biacca, su carta azzurra; mm. 284×202), generalmente considerato del Mantegna, relativo alla figura di Cristo nel dipinto di cui al n. 34 G.*

**34 F**

**34 G**

(In alto e qua sopra) Baccanale con un tino (mm. 305×433) e Baccanale con Sileno (mm. 307×445), incisioni talora messe in rapporto con le perdute ornamentazioni di cui ai n. 35 e 36. Menzionate dal Vasari e concordemente considerate fra le più vigorose ideazioni del Mantegna, pur se, secondo alcuni, la traduzione su lastra spetta a ignoti intagliatori sotto la guida del maestro.

**38** [Tav. VIII-IX]

La Presentazione al tempio (tavola, cm. 80×105; Venezia, Fondazione Querini Stampalia) di Giambellino, in rapporto col n. 38.

ciullo in primo piano nel *Battesimo di Ermogene* (n. 14 G). Appartenne alle collezioni Cook di Richmond e Samuel H. Kress di New York. L'attribuzione al maestro, estesamente accolta, venne contestata da Kristeller e Borenius [1913]. Giovanile per il Longhi e la Cipriani (a causa delle suggestioni donatelliane), che lo assegnano al sesto decennio del secolo; della tarda maturità per Fiocco e Tietze-Conrat; del 1475-80 per Camesasca. La Tietze-Conrat pensa si possa identificare con "un puttino vestito, alto once 20, largo 10 del Mantegna", citato nell'inventario del Gonzaga di Novellara [Campori]; secondo la studiosa doveva costituire "l'esemplare d'un dono di capodanno inviato dal duca di Mantova ai parenti".

**38** ⊞ ✴ 67×86 1465-66* 📇 ⋮

**LA PRESENTAZIONE AL TEMPIO. Berlino, Staatliche Museen.**

In primo piano la Vergine con il Bambino e il sacerdote. Il personaggio all'estrema destra sarebbe un autoritratto dell'artista, mentre nella figura all'estrema sinistra si dovrebbe scorgere sua moglie Nicolosia Bellini [Prinz, "BEM" 1962]. Appartenne ai Gradenigo di Padova; fu poi nella raccolta Solly di Berlino, e da qui giunse al museo. Nella Querini Stampalia di Venezia esiste un dipinto di uguale soggetto, ora assegnato al Giambellino, che il Morelli e A. Venturi consideravano invece quale originale del Mantegna. A partire dal Cavalcaselle, comunque, la critica è concorde sull'autografia mantegnesca della tela berlinese. Assai discordi i pareri sulla priorità dell'invenzione: dapprima il dipinto veneziano venne riguardato come un tributo del Bellini al Mantegna; la critica ultima è piuttosto orientata a capovolgere il rapporto, ma sembra di sicuro un'idea mantegnesca il Bambino — così evidentemente donatelliano —, puntato sul davanzale sì da misurare la profondità dello spazio; mantegnesco (addirittura squarcionesco) si rivela il tipo del sacerdote; e ad Andrea richiama pure la rigida inquadratura (memore forse dell'Alberti) entro la cornice di marmo [Camesasca]. Però l'inserimento di due altri personaggi, alle estremità, scioglie, nell'opera del Bellini, il tono inflessibilmente fermo caratteristico dell'altra, mentre la fluida modulazione delle luci crea un fatto pittorico diverso, più concluso, più coerente: tale da lasciar credere anche a un decisivo contributo di Giovanni. Secondo la maggior parte degli studiosi — soprattutto in dipendenza dalle opinioni coltivate circa la priorità dell'ideazione —, è da situarsi all'inizio del soggiorno mantovano, verso il 1454, la data più concordemente ascritta al dipinto del Bellini [Kristeller; Posse; Fiocco; Tietze-Conrat; Cipriani; Prinz]; per Longhi, Camesasca e Paccagnini, del 1465 o '66.

Una composizione quasi identica, considerata di mano del maestro e del figlio Francesco, si trova nella collezione del marchese di Northampton: assai difficile da giudicare a causa delle numerose ridipinture.

**37**

**39** ⊞ ✴ 40,5×29,5 1466 📇 ⋮

**RITRATTO DEL CARDINALE CARLO DE' MEDICI. Firenze, Uffizi.**

Già creduto effigie d'un Gonzaga, e come tale apparso ancora alla rassegna iconografica gonzaghesca, allestita a Mantova nel 1937; ma la retta identificazione era già stata stabilita da tempo ad opera dello Schaeffer ["MK" 1912]. Per il Kristeller, debole copia d'un disperso originale cinquecentesco; autografo per il resto della critica, tranne la Tietze-Conrat, incerta a causa del cattivo stato di conservazione (che fra l'altro ostacola la determinazione della tecnica pittorica). Sembra attendibile la cronologia 1466, generalmente accolta con riferimento al soggiorno fiorentino del maestro, anche in considerazione della sua riluttanza a eseguire ritratti se non dal vero. Con l'effigie del Mezzarota (n. 26) presenta in comune una luce diffusa a mo' di ragnatela e sottilmente fusa col disegno [Gilbert].

**40** ⊞ ✴ *1467 📇 ⋮

Opera di tema sconosciuto. Già (?) a Pisa, Camposanto.

Nel corso del soggiorno in Toscana, all'inizio del luglio 1467 (si veda *Documentazione*) il Mantegna risulta a Pisa, ove doveva "finire de dipingere al Campo Santo". Non si sa altro, tuttavia non si esclude che nel braccio ovest dell'edificio sia possibile scoprire qualche suo lavoro murale.

**41** ⊞ ✴ 66×32 1467* 📇 ⋮

**SAN GIORGIO. Venezia, Gallerie dell'Accademia.**

Il preteso santo è raffigurato col drago che la tradizione asserisce ucciso da lui. La Tietze-Conrat formula l'ipotesi che in origine costituisse l'ala sinistra d'una pala, a causa della positura del capo e della direzione dello sguardo. Pervenne alla sede odierna (1856) dalla collezione Manfrin di Venezia. Per lo più considerato del periodo immediatamente successivo al viaggio in Toscana; tuttavia il Cavalcaselle lo collega all'inizio del sog-

giorno in Mantova; per A. Venturi è coevo della Pala di San Zeno (n. 23), e per la Tietze-Conrat — concorde la Cipriani — del tempo del *Martirio di san Giacomo* agli Eremitani (n. 14 J). Piacque assai ai vecchi esegeti: il Kristeller vi scorgeva l'incarnazione dello spirito rinascimentale. Pur dopo la pulitura eseguita dal Pellicioli, rivela restauri, oltre a varie spellature; cosicché la luce tersa, il pennelleggiare tenero e la larghezza esecutiva lodati da alcuni critici, potrebbero in gran parte riferirsi agli estesi rifacimenti da cui era ed è depresso.

**42** ⊞ ✴ 24×19 1470* 📇 ⋮

**RITRATTO D'UOMO. Washington, National Gallery (Kress).**

Anche a causa della vecchia ubicazione del dipinto in Ungheria (si veda qui sotto), il

**39** [Tav. XXXVIII]

**41** [Tav. X]

**42**

**43** [Tav. XI-XIII]

**44**

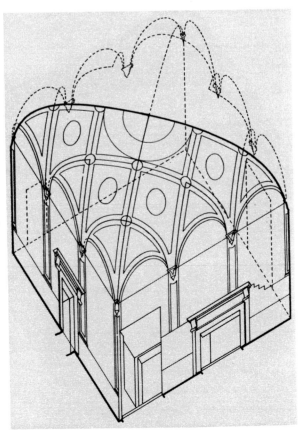

**45**

Frankfurter ["MA" 1939] propose l'identificazione del personaggio con il vescovo Giovanni Csezmicei, l'umanista ungherese più noto col nome di Iano Pannonio (si veda anche n. 14 K), di cui si sa che il Mantegna lo ritrasse a Padova, assieme a Galeotto da Narni, nel 1458, quando però il preteso effigiato era ventiquattrenne: ciò che ostacola il riconoscimento. Dal 1906 appartenne a Balaton Boglar, poi a Ludwig Keleman, entrambi a Budapest; dal 1929 in America, dove nel '50 entrò nella collezione Kress di New York. L'attribuzione al maestro, avanzata dal Suida verso il 1926 ["AA" 1946], ebbe il consenso di gran parte della critica moderna; il solo Meiss lo crede della scuola. Quanto alla cronologia, si può accogliere il riferimento della Cipriani e del Camesasca al tempo della Camera degli Sposi (pag. 100 s.).

## 43 ▦ ◑ 68×30/1470* ▤ ⦂

**SAN SEBASTIANO. Vienna, Kunsthistorisches Museum.**

L'iscrizione, in greco, che figura incisa nella pietra, a sinistra del santo, equivale a "Opera di Andrea". La nube in alto, dallo stesso lato, raffigura — secondo il Kristeller — re Teodorico a cavallo, esemplato su un rilievo della facciata di San Zeno a Verona; quest'ultima città sarebbe raffigurata nel fondo (si può infatti indicare l'Arena, mentre il lago è malamente assimilabile all'Adige). Nel pavimento a scacchi il Bottari riscontra un ricordo 'spaziale' di Piero della Francesca. Il santo è appoggiato a un'architettura confrontabile con quella della *Circoncisione* agli Uffizi (n. 34 C). Già nel '600 si trovava a Vienna, nella collezione dell'arciduca d'Austria Leopoldo Guglielmo. Dopo che il Berenson [1902] ritirò i dubbi sull'autografia, l'attribuzione al maestro risulta unanime, per lo più col riferimento al 1450. La Tietze-Conrat — seguita dal Pallucchini [1961], dalla Cipriani e altri — vi identifica l'"operetta" che Antonio Marcello, podestà di Padova, aveva commissionato al Mantegna, il quale, per eseguirla, chiese una proroga al trasferimento in Mantova (si veda *Documentazione*, 1459); la Tietze-Conrat stessa rammenta che un'epidemia di peste infierì a Padova nel 1456-57 e che san Sebastiano era appunto uno dei santi più invocati in simili sciagure. Il Longhi, intendendolo come espressione d'un raffinato calligrafismo di maniera, lo colloca invece verso il 1470; data che il Camesasca sembra propenso a ritardare.

## 44 ▦ ◑ 43×35/1470* ▤ ⦂

**MADONNA COL BAMBINO. Milano, Museo Poldi Pezzoli.**

Fu venduta al Poldi Pezzoli da G. Morelli. Il colore originale venne gravemente alterato dal restauratore G. Molteni (1860). Una densa vernice giallastra, difficile da rimuovere, preclude qualunque giudizio sicuro. Per lo più considerata giovanile, tranne che da A. Venturi, Tietze-Conrat, Cipriani e Camesasca; e invero, nonostante i ricordi di Filippo Lippi e di Donatello, sembra giusto riferirla alla maturità.

Una composizione identica, lievemente inferiore di dimensioni, si trova in proprietà di T. Spano a Venezia; Coletti e Fiocco la dichiararono autografa, anteriore al dipinto di Milano e qualitativamente superiore a questo. Non risultano ulteriori pareri.

## 45 ▦ ◑ 43×31/1470* ▤ ⦂

**MADONNA COL BAMBINO. Bergamo, Accademia Carrara.**

Donata alla sede attuale dal conte Marenzi (1831). Gli storici ottocenteschi l'ascrivevano al periodo padovano, eccettuato il Cavalcaselle, che la credeva posteriore al *Trionfo di Cesare* (n. 63); Kristeller, Fiocco e Tietze-Conrat l'assegnano all'inizio del soggiorno in Mantova; posteriore per Longhi, Cipriani e Camesasca (quest'ultimo rileva la tecnica — un sottilissimo strato di tempera — come tipica del Mantegna ormai maturo).

# La Camera degli Sposi

Il locale, praticamente cubico (cm. 805 c. di lato), costituisce il piano nobile del torrione nord di castel San Giorgio, nel complesso del Palazzo Ducale (o Reggia) dei Gonzaga a Mantova. Forse va identificato con la "camera magna turris versus lacum de medio" (e al lago di Mezzo — come si chiama uno dei tre laghi formati dal Mincio — la Camera rivolge il proprio lato settentrionale), cui accenna un documento gonzaghesco del 1462; in una lettera di trent'anni dopo viene sicuramente designato come "camera depincta": ciò che consente di riconoscerlo anche nella "camera magna picta", della quale si parla in un atto del 1475; e "camera picta" è fra le denominazioni dell'ambiente in esame. Nelle citazioni riferite e in altre coeve il locale sembra avere una destinazione di eletta rappresentanza, così da far escludere l'uso come stanza da letto; né del resto la locuzione "camera detta degli Sposi" — reperibile per la prima volta nel Ridolfi [1648] — si deve necessariamente collegare a un tale impiego, essendo pure legittimo un rapporto col testo della targa dedicatoria (si veda n. 51 B). Nel 1506 era probabilmente già destinato a deposito di opere artistiche e oggetti preziosi, quale doveva essere nel pieno '700. Un secolo dopo, denominato "stanza detta comunemente del Mantegna", faceva parte dell'archivio notarile, e tale rimase fin verso il 1880. L'effettivo riconoscimento della sua importanza artistica seguì soltanto nel 1915.

La decorazione risulta così strutturata: al centro del soffitto, il celebre 'oculo di cielo' (n. 46), inserito entro una ghirlanda floreale, ricca di nastri e racemi (che abbondano anche nel resto del soffitto), a sua volta compresa in una cornice quadrilatera di stucco, dove si innestano otto lacunari, ciascuno con un medaglione sostenuto da un putto (n. 47 A-H); detti lacunari originano dodici vele con episodi mitologici (n. 48 A-L), delimitate da segmenti della solita cornice, che confluiscono sui peducci (da annoverare, con la cornice suddetta, fra i pochi elementi dell'ornamentazione dotati d'un rilievo reale) dei due pilastri e dei due semipilastri (tutti simulati dalla pittura), concorrendo a suddividere ogni parete in tre zone uguali terminanti al sommo con una lunetta (n. 49 A-H). Infine, i pilastri figurano di poggiare su uno zoccolo, adorno come la parete di fondo nella figurazione della *Corte* (n. 50), oltre che come la base dell'altare del Donatello nel Santo di Padova. I peducci richiamati più sopra 'sostengono' i cursori (dipinti) d'una finta cortina in cuoio decorata a motivi d'oro e completata da fodere azzurre; abbassate sulle pareti est e sud, esse cortine appaiono invece variamente raccolte, in modo da lasciar scorgere le 'storie' (n. 50 e 51 A-C) che dànno fama alla Camera. Grazie all'ornamentazione, il locale si presenta come un padiglione aperto sulla natura; e il soffitto, in effetti con appena un accenno di convessità, appare fortemente vòltato. Né l'illusione risulta troppo compromessa dalle due finestre (pareti nord ed est), dai due usci (pareti sud e ovest) e (pareti nord e sud) dal caminetto e da un piccolo vano (le cornici di questi e quelle degli usci completano l'elenco degli aggetti effettivi, essendo ogni altro membro architettonico a finto rilievo). L'impianto descritto venne messo in rapporto con le idee del Brunelleschi [Fiocco; ecc.] (e sembra l'ipotesi più attendibile, quantunque non sia da e-

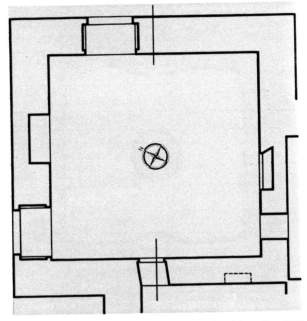

*Pianta della Camera degli Sposi (la zona tratteggiata nella parete ovest concerne un'apertura che in origine poteva sostituire l'uscio esistente oggi nella stessa parete).*

*Proiezione assonometrica della Camera degli Sposi (eseguita da G. Alessi per la monografia di Coletti e Camesasca [1959]).*

scludere nemmeno Francesco di Giorgio Martini), del Laurana [Tietze-Conrat] e dell'Alberti [Coletti; ecc.].

Se è concorde l'ammissione della paternità artistica del Mantegna, abbondantemente testimoniata, si rivelano assai discordi i pareri sulla cronologia del ciclo. I dubbi maggiori riguardano l'inizio dei lavori, che vari storici, dal Kristeller in poi, riferiscono al 1471, l'anno in cui il marchese Ludovico ordinava (25 ottobre) che si fornissero al Mantegna "pesi tre de olio de nose per lavorare a quella nostra camera": ciò che alcuni [Luzio, 1913; fino a Mezzetti, 1958] interpretano come indizio di un'attività ormai avviata (l'impiego di olio di noce — nota il Camesasca [1964] — non era estraneo alla tecnica murale, se si deve prestar fede al ben noto trattato del Cennini). Altri studiosi propendono per un inizio anche anteriore: 1467, subito dopo il ritorno del maestro dalla Toscana [Tamassia, 1955-56]; 1465, l'anno inciso sullo sguincio di sinistra della finestra nord [Pératé, in Michel, III, 1907; fino a Giannantoni, *Palazzo Ducale*, 1929]. Poiché il ciclo venne compiuto nel 1474 — così, almeno, si ricava dalla tabella dedicatoria (n. 51 B) —, a seconda delle varie ipotesi riferite, i lavori avrebbero perciò avuto una durata da quattro a dieci anni. Per il Milanesi [in Vasari, III, 1874] il decennio d'operosità si sarebbe concluso nel 1484, l'anno in cui (vedi *Documentazione*) il pittore appare occupato a decorare una stanza di castel San Giorgio (peraltro già il Cavalcaselle la considerava diversa dalla Camera in esame), e l'anno, inoltre, che il Brandolese [*Testimonianze intorno alla patavinità di A. Mangna*, 1805] credeva di leggere sulla tabella. G. A. Moschini, senza pronunciarsi sull'inizio, asseriva che il ciclo era ancora in lavorazione nel 1488, quando l'artista si recò a Roma; lo storico precisa che comunque fu il Mantegna stesso a terminarlo, di ritorno a Mantova, sembrandogli inaccettabile il parere di "alcuni" (non sappiamo di chi si tratti) che la vôlta (del resto, la prima ad essere intrapresa nella decorazione di un locale) venisse ultimata dai figli, dopo la morte del maestro. I critici recenti condividono per lo più l'opinione del Tietze-Conrat, secondo cui i lavori si svolsero nel 1473-74. Di recente il Camesasca prospettò (come ipotesi da perfezionare con esami ora impossibili, date le condizioni del ciclo) un'esecuzione in due momenti staccati: a un primo tempo, forse nel 1465 (si veda sopra), sembrerebbe collocarsi la stesura della *Corte* (n. 50) quale opera autonoma, mentre il resto della stanza poté essere dipinto simulando marmo verde, come si scorge sugli sguinci delle finestre; poi, entro il 1474, nel volgere di alcuni mesi, dovette seguire il resto, cioè il soffitto, le 'storie' sulla parete ovest e la decorazione illusoria visibile oggi; e la *Corte*, per armonizzarvisi, subì estese modifiche. La tesi trova appoggio in rilievi d'ordine formale e tecnico. Nel novero dei primi riveste importanza il fatto che l'*Incontro* (n. 51 C) rivela corrispondenze 'auree' tra elementi pittorici e membri architettonici (si veda il grafico ri-

prodotto); tali corrispondenze indicherebbero un impegno di coordinamento col resto dell'ornamentazione, non avvertibile nella *Corte*: dove, anzi, i gradini, verso destra, discordano dall'intelaiatura prospettica generale, e i personaggi dinanzi ai pilastri mancano d'un piano d'appoggio (a riprova che, in origine, essi pilastri non esistevano: tanto più che, a sinistra del secondo, sopra il caminetto, sbuca una manica che non spetta a nessuno dei gentiluomini visibili, e deve essere invece appartenuta a una figura eliminata in seguito all'inserzione, appunto, del pilastro). Ancora, mentre i caratteri linguistici della *Corte* sarebbero accostabili a quelli del periodo padovano (per i ricordi donatelliani nella parete di fondo e nell'impostazione stessa del tessuto luministico), il timbro dell'*Incontro* ricorderebbe Benozzo Gozzoli (innegabili i rapporti con la *Costruzione della Torre di Babele*, affrescata dal fiorentino nel Camposanto di Pisa), che per il Camesasca costituì il principale elemento d'attrazione del Mantegna in Toscana. Come ormai noto dagli esami di Mauro Pellicioli, la tecnica pittorica impiegata nella *Corte*, nelle lunette e nella ghirlanda intorno all'oculo non è l'affresco, rilevabile nel resto della decorazione, bensì la tempera a secco. Nel caso della *Corte*, potrebbe pure trattarsi d'un larghissimo ricorso a

quest'ultimo procedimento: sopra, però, a una prima stesura a fresco; ciò che confermerebbe l'adattamento del dipinto (adattamento, peraltro, in gran parte perduto, come si rileva propriamente dai gradini fuori prospettiva e dalla manica accennata più sopra).

Lo stato dell'ornamentazione, che impedisce un giudizio sicuro sui diversi pareri, appare assai depresso da danni e restauri. Il primo intervento estraneo risale al 1506: pochi giorni dopo la morte del maestro, i suoi figli ebbero ordine (22 settembre) da Isabella d'Este di "raconzar" una o più zone non determinate della Camera. Durante il sacco di Mantova del 1630, la Reggia fu invasa dalle truppe imperiali, ed è probabile che allora venissero sparati i colpi d'arme da fuoco di cui è traccia nella nana della *Corte*; certo in quell'occasione sui dipinti vennero incise scritte inneggianti a Lutero e simili. Verso il 1790, mentre la decorazione era stata dichiarata "malconcia assaissimo" [Cadioli, *Descrizione ... di Mantova*, 1763], il governo austriaco incaricava M. Knoller di un restauro, che pare si sia provvidenzialmente contenuto agli "sfregi" più gravi inferti nel 1630 [Intra, *Mantova*, 1883] e da successivi occupanti. Gli "imbratti" del Knoller furono rimossi (1876) dal Cavenaghi, per quanto riguarda la parete dell'*Incontro*; l'anno dopo, sulla

*Corte*, interveniva G. Bianchi, il famigerato 'rifacitore' di Giotto in Santa Croce di Firenze: ma sembra che anche lui si sia limitato a ritoccare solo "qua e là" [*Id.*]. Piccoli lavori seguirono nel 1894; finalmente dal 1938 al '41 fu la volta del Pellicioli, cui si devono il felice consolidamento delle superfici dipinte, l'eliminazione (purtroppo non totale) delle vecchie ripassature e l'integrazione di varie lacune.

Per concludere sulle generalità della Camera, resta da ricordare che, sulle due pareti non istoriate, in origine veniva stesa — nelle grandi occasioni, almeno — una "spalliera" di cuoio, forse adorna di motivi come quelli finti dalla pittura sulle pareti stesse, e molto ammirata: quanto i lavori del Mantegna ne, a giudicare dai pur rari accenni archiviali, anche più.

La complessa ornamentazione fu ammirata per il distribuirsi degli elementi decorativi in tonalità preziosamente sommesse, da consentire ogni spicco alla "spietata" indagine dei personaggi nell'immobile fissità delle 'storie'; e il Coletti insiste sul divario, scorgendo nei primi la più eletta impronta del Mantegna che si esprime classicamente, per poi trovare, nei secondi, la genuina, vivissima e "sconvolgente" freschezza della parlata 'volgare', derivante dalla "distensione" attuatasi nel maestro in seguito al soggiorno toscano. Ciò che viene posto in dubbio dal Camesasca, piuttosto propenso a scorgere la medesima "disumanizzazione" che nelle opere precedenti: "Gesti lenti, o meglio rallentati, come simboli di una imposta aulicità, articolano queste super-marionette filiate da remotissimi idoli di pietra ... È la messa in scena della dignità; e nel dissidio fra poesia e spettacolo ci sembra di sorprendere il vero Mantegna: soddisfatto della sua perfetta regia, dell'impeccabilità esecutiva ..., della strabi-

liante copiosità ornamentale ...; il Mantegna, si diceva, che appunto da regista troppo invadente volle conferire allo spettacolo i caratteri esclusivi della sola poesia: sotto questo aspetto davvero moderno, nostro".

L'ornamentazione pittorica viene qui di seguito esaminata nelle sue singole parti: trattate, nei limiti del possibile, iniziando dalla parete nord (o dalle zone del soffitto ad essa corrispondenti) e proseguendo in senso orario. Delle dimensioni si indica la larghezza massima, misurata entro le eventuali cornici.

## Il soffitto

Alla sua struttura complessiva si accenna più sopra. La condensazione dell'umidità, alternandosi a periodi di secco, vi determinò estese scoloriture e crolli di colore sia nelle zone a fresco, sia nella ghirlanda, a secco; inoltre fu causa di cadute parziali degli stucchi: quelli superstiti vennero fissati nel corso dell'ultimo restauro.

## L'oculo

**46** ⊞ ✛ diam. 270* 1473* 目 ⫶

Otto putti alati si appoggiano alla balaustra — che ripete il motivo donatelliano della parete di fondo della *Corte* (n. 50) — o ne sporgono, ai lati di un pavone; vi si affacciano pure, a fianco di un vaso di agrumi, due gruppi di donne; in quella accanto alla negra (presumibilmente una schiava, come ne sono documentate anche in seguito, alla corte di Mantova) fu riconosciuta [A. Venturi] nientemeno che la marchesa Barbara di Brandeburgo (si veda n. 50), mentre sarà da scorgere una domestica o, al

101

*Veduta della Camera degli Sposi relativa alle pareti ovest e nord, con i dipinti n. 51 A, B e C, e 50, e a vari elementi del soffitto.*

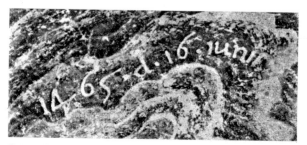

*Data sullo sguincio di destra della finestra nella parete nord.*

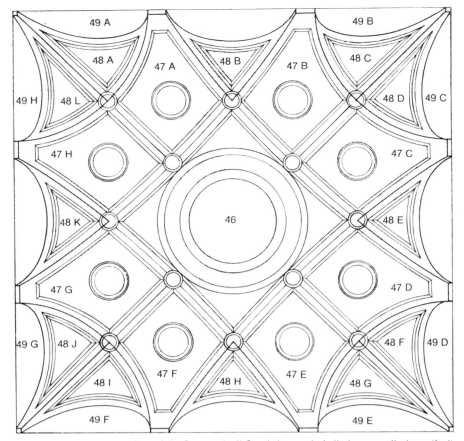

Proiezione in pianta del soffitto della Camera degli Sposi: i numeri si riferiscono agli elementi pittorici (comprese le lunette) nell'ordine di elencazione del presente Catalogo.

dato dall'iconografia classica, il dittatore appare meno ossuto; per la Tamassia assomiglia all'effigie successiva, di Augusto. Secondo la stessa studiosa, il putto sottostante è affine a uno degli eroti con attributi di Marte nei Musei Capitolini di Roma. Il rilievo di interventi collaborativi concerne soprattutto quest'ultimo. Particolarmente scolorite la metà inferiore della ghirlanda e la testa del putto.

**47**  250* 1473*

### B. AUGUSTO.

"OCTAVIAN[us] / AVGVSTVS" (l'apparente lezione 'Octaviani'

Rilievo di costolatura a stucco nel soffitto stesso.

della prima parola deriva da guasti). Invecchiato rispetto all'iconografia tradizionale [Blum], ma abbastanza fedele. Per il tipo del putto e per le collaborazioni vale quanto detto nel commento del n. 47 A.

**47** 250* 1473*

### C. TIBERIO.

"TIBERIVS. / CAESAR". Avrebbe la bocca più grande che nel tipo tradizionale [Blum]; qualche somiglianza con l'*Augusto* suddetto [Tamassia]; comunque deriverebbe [*Id.*] da un 'pezzo' antico nel Museo Archeologico di Mantova. Circa le collaborazioni vale quanto si dice per il n. 47 A.

**47** 250* 1473*

### D. CALIGOLA.

"CAIVS. G.[ermanicus] / IMPER[ator]". Secondo la Blum sarebbe in effetti un Augusto giovanile, desunto [Tamassia] da un gruppo antico nel Museo Archeologico di Mantova. Oltre al putto, anche l'effigie dell'imperatore, assai vacua, sembra spettare a qualche collaboratore [Camesasca].

**47** 250* 1473*

### E. CLAUDIO.

La scritta è ridotta a: "... VS / CA ..." (Claudius Caesar [?]); tuttavia l'effigiato s'identifica per l'ubicazione nella serie. Addolcito rispetto al tipo classico [Blum]; assomiglierebbe all'*Augusto* suddetto [Tamassia]. Per il tipo del putto vale quanto si dice al n. 47 A. Forti scoloriture nella fascia mediana.

**47** 250* 1473*

### F. NERONE.

Rimasto privo di leggenda, ma identificabile per il posto occupato nella sequenza e per il tipo fisico, particolarmente fedele a quello tradizionale [Blum]; secondo la Tamassia fu desunto da una moneta. Scoloriture nella metà dal vertice mediano sinistro fino a quello inferiore del lacunare.

più, una governante. In buono stato di conservazione, a parte la probabile caduta dei tocchi finali a secco.

## I lacunari

Curiosamente alcune vecchie guide [da Antoldi, *Palazzo di Mantova*, 1813; fino a Soresina, *Mantova*, 1851] ne indicano dodici anziché otto. Comprendono ciascuno un busto d'imperatore romano — Cesare e i suoi primi sette successori (riconoscibili dalle scritte, generalmente ripassate, ma degne di attendibilità) —, a mo' di medaglione marmoreo (o stucco) su finto mosaico a tessere d'oro, e compreso entro una ghirlanda, pure simulata a rilievo; sorretta, quest'ultima, da un putto (anch'esso a imitazione di rilievo), il quale poggia su un vaso o altro elemento ornamentale del repertorio classico, avente a sua volta per base un motivo architettonico variamente trattato (vaso, trofeo vegetale, ecc.), comunque ripetuto identico in ogni coppia di lacunari contigui e sempre simulante il rilievo marmoreo. Lo stato di conservazione è cattivo a causa di ampie ridipinture e lacune: qui sotto vengono indicati soltanto i casi più gravi; così, per gli interventi di collaboratori (certo estesi nelle presenti zone, anche se resi precariamente valutabili dai guasti), si rilevano appena quelli di più sicura evidenza. I singoli lacunari vengono designati col nome del relativo imperatore.

**47** 250* 1473*

### A. GIULIO CESARE.

Il testo della scritta è: "IVLIVS / CAESAR". La Blum nota che, rispetto al tipo tramandato

46 [Tav. XLVIII-IL]

47 A

47 B

47 C

47 D

# 47 ⊞ ⊕ 250* 1473* ▤ ⋮

## G. GALBA.

"GALBA / IMPER[ator]". Riproduce fedelmente il tipo tramandato dall'iconografia antica [Blum]; o meglio, risulta uguale alle effigie — come quella in Campidoglio a Roma — che vengono comunemente designate come di Galba [Tamassia]. Tranne qualche lacuna in basso, e lievi ripassature, abbastanza ben conservato: forse anche da ciò deriva il giudizio positivo sull'autografia.

# 47 ⊞ ⊕ 250* 1473* ▤ ⋮

## H. OTONE.

"OTHO / IMPER.[ator] C.[aesar]". L'effigie dell'imperatore sarebbe stata desunta da una moneta [Tamassia]. Il putto sottostante avrebbe una derivazione analoga a quella del n. 47 A [Id.].

## Le vele

Agli angoli della Camera le vele sono accoppiate, dando luogo a quattro pennacchi. I dodici spazi presentano episodi mitologici, espressi come ri-

Ercole e Anteo (disegno in bruno, azzurro e biacca su carta bruna; mm. 264×164; Firenze, Uffizi), attribuito al maestro (1471 c.) dalla Mazzetti, che lo identificò, rilevandone il rapporto col n. 48 K.

48 A

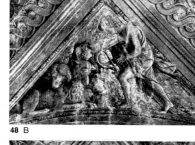

48 B

48 C

48 D

48 E

48 F

48 G

48 H

48 I

**103**

48 K

48 L

# 48 ⊞ ⊕ 180* 1473* ▤ ⋮

## B. ORFEO AMMANSISCE CERBERO E UN'ERINNI.

L'episodio concerne la discesa del musico agli Inferi per riavere Euridice. Scoloriture e altri guasti deturpano la bella, serratissima composizione, dove gli interventi estranei sembrano meno avvertibili che nel resto della serie.

# 48 ⊞ ⊕ 180* 1473* ▤ ⋮

## C. LA MORTE DI ORFEO.

Il musico, al suolo, viene ucciso dalle donne di Tessaglia. Da notare l'assenza della lira, invece tradizionale nell'iconografia dell'episodio e visibile anche in un'ideazione mantegnesca dello stesso tema nota per una copia a disegno del Dürer (1494; Amburgo, Kunsthalle) e per una stampa italiana più tarda. Sebbene in un altro foglio di anonimo quattrocente-

lievi di marmo sul consueto fondo a mosaico aureo, e scorciati dal sottinsù per contribuire all'illusoria vôltatura del soffitto. Secondo la Blum, le figurazioni adombrerebbero allegorie cristiane; per il Coletti la preponderanza delle figurazioni dedicate a Orfeo e ad Arione potrebbe essere in rapporto con la musica e, addirittura, con la destinazione del locale a saletta (invero molto piccola) per concerti.

# 48 ⊞ ⊕ 180* 1473* ▤ ⋮

## A. L'INCANTO DELLA MUSICA DI ORFEO.

Orfeo suona la lira, ascoltato da due donne (di cui quella a sinistra, che regge un arco, allude forse alla facoltà del musico di ammansire anche gli animi più bellicosi); il leone e la pianta d'agrumi, raffigurati sulla destra, accanto alle due donne, sembrano alludere al fascino esercitato da Orfeo anche

sul mondo animale e vegetale. Secondo la Mezzetti [1958], tanto la stesura, particolarmente debole rispetto agli altri elementi della serie, quanto l'ideazione, d'una "rigidità goffa e imbambolata", sarebbero estranee al maestro, e richiamerebbero piuttosto il Mocetto. La studiosa segnala tuttavia la precarietà del proprio giudizio a causa dello stato di conservazione: che, invero, non sembra particolarmente depresso.

E

47 F

47 G

47 H

sco (Londra, British Museum, "Libro" Roseberry), presentante figure molto affini a queste, la Tietze-Conrat ["BA" 1958] abbia individuato — appunto per l'assenza dello strumento musicale — la morte di Penteo, per la vela in esame non si dànno dubbi circa il rapporto col mito orfico. Il Coletti rileva che le "carnose megere inferocite" sono avvolte in leggere tuniche, svolazzanti secondo soluzioni tipiche di Filippo Lippi (e, poi, del Botticelli), il quale sarebbe qui richiamato anche per la propensione del Mantegna — di solito "austeramente costruttivo" — a un divertito abbandono di genere decorativo "nel divagar della linea sottile, nel chiaroscuro delicato, nei sovrabbondanti festoni di pieghe": un riaccostamento, insomma, ai modi del frate, e — al dire dello studioso — addirittura più intimo di quanto non fosse avvenuto a Padova decenni prima, agli esordi della carriera. Scoloriture, crepe, macchie e grevi rifacimenti deturpano il dipinto.

**48** 180* 1473*

**D. ARIONE E I PIRATI.**

Il poeta e musico greco del VII secolo a. C., gettato in mare dai pirati (la cui nave si allontana, nel fondo), riesce ad accattivarsi col suono un delfino, che (n. 48 E) lo porterà in salvo. Vi si notano crepe e altri guasti.

**48** 180* 1473*

**E. ARIONE SUL DELFINO.**

Per il tema, si veda il commento precedente, che vale anche per lo stato di conservazione.

**48** 180* 1473*

**F. PERIANDRO E I CATTIVI MARINAI.**

Periandro, tiranno di Corinto (625-585 a. C.) noto come uno dei sette savi dell'antichità, giudica i marinai rei di tratta degli schiavi. La composizione deriverebbe da un sarcofago classico nel Camposanto di Pisa [Tamassia]. La grave scoloritura non consente il giudizio sull'autografia.

**48** 180* 1473*

**G. ERCOLE SAETTANTE.**

Il tema si completa nella vela successiva, dove è raffigurato — con Deianira in groppa — il centauro Nesso, bersaglio di Ercole. Conservazione come il n. 48 F.

**48** 180* 1473*

**H. DEIANIRA E NESSO.**

Per il tema, si veda il commento precedente. La composizione avrebbe riscontro in quella d'un sarcofago antico nel Museo Maffeiano di Verona [Tamassia]. Con le riserve imposte dal cattivo stato di conservazione (scoloriture, macchie, crepe e, forse, estese ripassature), appare come l'elemento della serie più lontano dal maestro, per il disegno oltre che per la stesura.

**48** 180* 1473*

**I. ERCOLE LOTTA COL LEONE DI NEMEA.**

È la prima delle celebri dodici fatiche sostenute dall'eroe. L'impianto presenta affinità con quello di gruppi classici dello stesso tema, uno dei quali conservato a Villa Medici di Roma [Tamassia]. Una estesa lacuna dell'intonaco interessa la testa di Ercole; il resto appare assai scolorito: cosicché il giudizio sull'autografia non risulta possibile.

**48** 180* 1473*

**J. ERCOLE E L'IDRA (?).**

La scomparsa pressoché totale del dipinto (che pertanto si rinunzia a riprodurre) lascia incerti sulla identificazione stessa del tema.

**48** 180* 1473*

**K. ERCOLE SOFFOCA ANTEO.**

Secondo la Mezzetti [1958] l'impianto generale dipende da un gruppo ellenistico dello stesso tema, di cui è nota una versione nella raccolta Smith Barry a Marbury Hall. La stessa studiosa ha identificato un disegno pure con questo soggetto (Firenze, Uffizi) che, nonostante i guasti e le riprese spurie, è da ascriversi al Mantegna e che, quindi, risulta l'unico noto del maestro in rapporto col ciclo della Camera; rispetto al dipinto, il foglio presenta divari riferibili a un'origine indipendente dalla necessità dell'inserzione entro una superficie triangolare, risalente forse al tempo del *Martirio di san Cristoforo* degli Eremitani (n. 14 K) o della *Pala di San Zeno* (n. 23). Inoltre la Mezzetti esclude, per la vela in esame, assieme alla stesura del maestro, pure una sua responsabilità diretta nel disegno; e, con le riserve derivanti dai gravi danni subiti dal dipinto, l'opinione va condivisa.

**48** 180* 1473*

**L. ERCOLE CATTURA CERBERO.**

È l'ultima fatica dell'eroe mitico. Scoloriture, crepe, cadute d'intonaco e restauri deprimono il dipinto, che tuttavia rivela una buona qualità.

# Le lunette

In realtà fanno parte delle pareti; ma, sia per convenienza espositiva, sia perché la struttura dell'ornamentazione illusoriamente le collega piuttosto al soffitto, sia infine perché, a causa delle alterazioni dei colori, le lunette si staccano dal resto (anche sopra la parete ovest, dove il cielo delle sottostanti scene all'aperto dovrebbe proseguire identico negli spazi centinati, e invece, per le ossidazioni, muta da azzurro a viola), è parso conveniente trattarle a sé. Sono, come detto, tre per parete; in tutte, il cie-

49 A

49 B

49 C

49 F

*Una delle lunette site al centro di ogni parete (trattasi di quella nella parete ovest), la cui ornamentazione è limitata ai festoni vegetali, campeggianti sull'azzurro del cielo e dal punto d'incontro dei quali scende una pendaglia.*

lo fa da sfondo a due festoni di foglie e frutta. Nelle lunette agli angoli della stanza, al punto di convergenza dei festoni, figura di essere appeso, mediante nastri a eleganti girali, anche un clipeo con un'impresa di casa Gonzaga. Qui di seguito si prendono in esame le sole lunette contenenti insegne araldiche, i cui elementi principali verranno assunti come titolo. Date le cattive condizioni dell'intera serie (vi si accennerà soltanto nei casi più gravi), il giudizio sull'autografia rimane impossibile (sembra comunque ovvio che gli aiuti siano intervenuti estesamente); di conseguenza si dànno i simboli soltanto per la prima lunetta, restando sottinteso che valgono per ogni altra. Come si dice più sopra, secondo il Pellicioli furono dipinte a secco; a tale procedimento vanno riferite la scomparsa di varie parti e la grave alterazione delle rimanenti.

**49** 240* 1473-74

**A. TORTORA E TRONCO.**

Il riconoscimento della figurazione — tortora su tronco secco in torbide acque, cui si accompagna il motto "Vrai amour ne se cange" — è reso possibile dal fatto che se conosce l'impresa suddetta da altre testimonianze; diversamente le scarse tracce superstiti non sarebbero interpretabili.

**B. SOLE.**

Il sole raggiante era fra le insegne più usuali dei Gonzaga, accompagnato dal motto "Per un desir" che, integrato dall'astro, diviene "Per un *sol* desir". Fu adottata da Ludovico III dopo la sconfitta di Caravaggio e concessa a vari, compreso il Mantegna (si veda *Documentazione*, 1469).

**C. CERVETTA.**

Quantunque il quadrupede — al passo su campo rosso, in cui svolazza un cartiglio con frammenti di caratteri gotici ("B ... / er / craf") ripassati grossolanamente — sia rimasto senza capo, appare identificabile con l'impresa della cervetta fissante il sole, accompagnata dal motto "Bider Craft", in germanico antico, equivalente al moderno "Wider Kraft" (Contro la forza), che costituirebbe [Magnaguti, "V" 1957] un appello alla pace rivolto dai Gonzaga ai potenti vicini.

**D. TORRE.**

Torre grigia, merlata alla ghibellina, su campo bianco (ma, in origine, forse rosso), e di pianta esagonale o pentagonale. La figurazione, con due alberi fronzuti ai lati, costituisce un'impresa gonzaghesca assai diffusa; però nell'iconografia tradizionale la torre ha pianta quadrata.

**E. Tema ignoto.**

La figurazione è scomparsa; solo in via di cautissima ipotesi si richiama l'impresa della cintura: ma la supposizione può derivare da un effetto illusorio creato, in cui, che dalle esigue tracce superstiti, dalle macchie della scoloritura.

## F. ALANO.

La scoloritura ha lasciato il solo contorno di un cane accucciato, di profilo, col muso rivolto all'indietro, su terreno forse originariamente grigio e fondo che poté essere rosso. Trattasi dell'alano con laccio sciolto, cui era unito il motto "Si l'aire ne me faut": insegna che l'Equicola [*Commentarii mantovani*, 1521] ricorda adottata da Gianfrancesco Gonzaga entro il 1432.

## G. ALI E ANELLO.

Rimangono soltanto tracce del rosso che doveva campire il fondo e il contorno dell'impresa, che è quella delle due ali di falcone con artigli, sonagli e anello, fatta incidere da Ludovico III pure su alcune monete.

## H. SALAMANDRA.

Per induzione più che per diretta osservazione (quanto si scorge consiste in una sorta di drago con coda attorta, su roc-

50 [Tav. XLIV-XLVII]

105

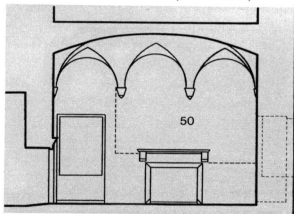

*Sezione e prospetto della parete nord (di G. Alessi); il numero si riferisce alla Corte, qui raffigurata.*

*Grafico per l'identificazione dei personaggi nel n. 50 (i numeri si riferiscono alle indicazioni fornite nella scheda relativa).*

*La zona centrale del n. 50 in una fotografia che ne documenta le condizioni prima del restauro eseguito da G. Bianchi nel 1877. La superficie appare consunta e deturpata dagli "stregi" secenteschi.*

cia gialla in campo che originariamente doveva essere rosso) sembra trattarsi dell'impresa della salamandra, cui si accompagnava il motto "Quod huic deest me torquet", di solito scritto su un cartiglio svolazzante sopra l'animale.

# Le pareti

## La parete nord

Lo scompartimento a sinistra è interamente occupato dalla finestra; così, nel successivo e, parzialmente, nel terzo, lo zoccolo (si veda nella premessa alla Camera) è interrotto dal caminetto; accanto al quale fu indicata una zona ornamentale (riprodotta qui sotto) dove la stesura si rivela così salda, pur nella corsività del pennelleggiare, da lasciar pensare a un intervento diretto del maestro. Il resto della parete è occupato dalla figurazione esaminata qui di seguito.

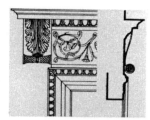

**50** ▦ ⊕ 600* *1474? 🗐 ⁝

### LA CORTE.

Il tendaggio, in gran parte scostato nella zona di sinistra, è quasi del tutto abbassato nell'altra metà, lasciando intravedere un uomo in movimento nel sole dell'esterno' (quale il cielo azzurro cupo dietro la transenna, a sinistra, non lascerebbe sospettare: un'altra delle numerose 'incongruenze' riscontrabili nel dipinto, come si accenna nella premessa alla Camera). Il piano di posa è ricoperto di tappeti orientali, forse d'origine anatolica, del tipo cosiddetto 'alla Holbein'. Quanto ai personaggi, alcuni sono riconoscibili con certezza (si veda qui sotto); tuttavia finora non è stato possibile stabilire in quale episodio si trovano impegnati; giacché — a parte l'evidenza dell'azione — motivi di ordine cronologico dissuadono dallo scorgervi un ritratto 'puro'. Numerose comunque le ipotesi circa la 'storia' raffigurata: l'Equicola [*Commentarii mantovani*, 1521] ravvisa un illustre ricevimento, quel-

*Rilievo e sezione delle incorniciature del caminetto (parete nord).*

lo offerto dalla corte di Mantova all'imperatore Federico III e al re di Danimarca (dovrebbe trattarsi di Cristiano I); ma proprio non si saprebbero riconoscere personaggi tanto importanti fra quelli raffigurati. Del pari è da scartare la tesi del Gionta [*Fioretto delle croniche di Mantova*, 1574], che scorge il ritorno di Federico, primogenito di Ludovico III, dopo la fuga a Napoli per sottrarsi alle nozze con Margherita di Baviera; infatti pare [Lanzoni, *Sulle nozze di Federico I*, 1898; Davari, *L'affresco di A. Mantegna nella sala degli Sposi*, 1908]

*Particolare di uno dei finti pilastrini del caminetto (parete nord) con ornamentazione pittorica di qualità particolarmente elevata.*

*La mano guantata della marchesa Barbara, nel n. 50, prima del restauro del 1938-41 (si notino le vecchie stuccature crollanti od ormai cadute), e nelle condizioni attuali.*

*La nana, nel n. 50, con le ammaccature (forse prodotte da colpi di arma da fuoco nel 1630) colmate di stucco nel corso del restauro suddetto; e nello stato odierno.*

105

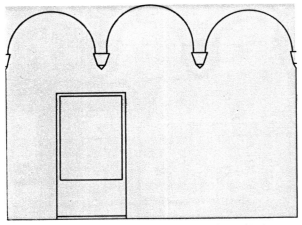

*Prospetto della parete est, la cui ornamentazione pittorica, come nella successiva, è costituita dal solo finto tendaggio.*

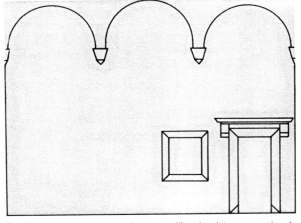

*Prospetto della parete sud (accanto all'uscio si trova un piccolo vano a muro chiuso da uno sportello).*

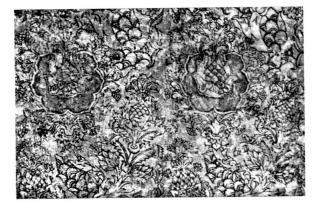

*(Qui sopra e qui sotto) Due particolari del finto tendaggio dipinto sulle pareti est e sud: il motivo col cardo (sopra) risulta utilizzato nello scomparto centrale della prima parete; l'altro (sotto), nei due laterali; inversamente, nella parete sud.*

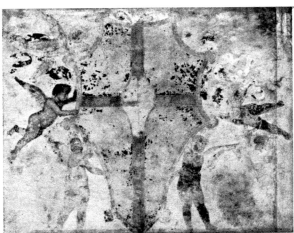

*L'insegna principale di casa Gonzaga affrescata, sopra l'uscio della parete sud, su un intonaco che verosimilmente venne sostituito a quello originale.*

che l'erede di Ludovico non si sia mai allontanato a lungo dai dominî paterni e che il Gionta abbia confuso le sue vicende con quelle del genitore, transfuga da Mantova perché il fratello Carlo gli insidiava la successione al trono; oltretutto, poi, Federico non risulta identificabile nel dipinto: comunque l'asserzione del Gionta ebbe qualche seguito [Intra, "ASL" 1879, e *Guida di Mantova*, 1912; Brinton, *The Gonzaga*, 1927]. Collegando la presente figurazione con quella dell'*Incontro* (n. 51 C), A. Venturi e Pacchioni [*Palazzo Ducale di Mantova*, 1921 e 1928] riconoscono l'arrivo del messo col 'breve' pontificio concernente l'elevazione alla porpora del secondogenito di Ludovico III, Francesco, o il ritorno a Mantova di quest'ultimo subito dopo la nomina o in una successiva occasione (si veda il commento all'*Incontro* stesso). Secondo altri, celebrati nella parete ovest i rapporti fra i Gonzaga e la Chiesa, questa in esame sarebbe dedicata alle relazioni con l'Impero, precisamente al fidanzamento di Federico con Margherita di Baviera [Pescasio, "E" 1941]; mentre altri ancora si limitano a indicare l'arrivo di non meglio identificati ambasciatori stranieri [Cruttwell, *A. Mantegna*, 1908]: ciò che invero contrasta col fatto che tutti i presenti indossano calze coi colori, bianco e rosso, dei Gonzaga [Camesasca, 1959]. Gli esegeti più recenti, di fronte all'impossibilità di definire l'episodio, ripiegano sull'ammissione d'un "ritratto di famiglia" [Bellonci; ecc.] (pur senza escludere — come si dice sopra — un'azione, anche se inidentificabile), attuato con certa spietatezza che restituisce gobbe, pappagorge, fronti e mandibole prominenti, membra flaccide o striminzite: insomma, le ben note tare fisiche dei Gonzaga. Alla luce di tali interpretazioni, i vari personaggi furono così riconosciuti (con riferimento ai numeri del grafico qui riprodotto, tenendo presente che la prima identificazione fornita è la più plausibile, o la più corrente, mentre si esclude la maggior parte di quelle derivate da evidenti *lapsus*): *1* - Marsilio Andreasi, segretario di Ludovico III; latore del 'breve' pontificio [A. Venturi; ecc.]; *2* - Ludovico III Gonzaga (effigie confrontabile con quelle di monete e di altre testimonianze si-

lo Gonzaga, fratello di Ludovico III [Luzio]; *5* - protonotario Ludovico Gonzaga; forse Febo, figlio naturale di Gianfrancesco Gonzaga [Camesasca]; *6* - Paola Gonzaga, ultimogenita di Ludovico III; oppure altre sue figlie: Dorotea [Brinton], Cecilia o Barbara o Chiara [Pacchioni] (tutte impossibili da riconoscersi sulle medaglie note con la loro effigie [Camesasca]); *7* - forse Bartolomeo Manfredi [Davari; fino a Camesasca]; Francesco Prendilacqua [Bellonci; ecc.]; Vittorino da Feltre (?) [Luzio]; *8* - forse Rodolfo Gonzaga, quarto figlio di Ludovico III; Gianfrancesco [Davari; fino a Paccagnini] o Federico [Fiocco] Gonzaga; *9* - marchesa Barbara di Hohenzollern degli elettori del Brandeburgo, consorte di Ludovico III (confrontabile con effigie sicure); *10* - forse

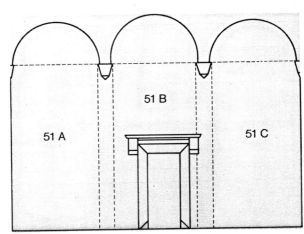

*Prospetto della parete ovest; i numeri si riferiscono a quelli adottati nel Catalogo per le singole figurazioni.*

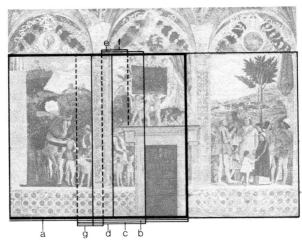

*Sezioni auree verticali della parete ovest (a cura di G. Alessi): si notino i legami proporzionali intercorrenti fra i membri architettonici reali (per esempio lo stipite dell'uscio) e altri simulati dalla pittura (per esempio il pilastro); ulteriori scansioni (non tracciate) rivelano legami anche fra detti membri e alcuni elementi dipinti (come la daga del marchese Ludovico in 51 C). Le lettere concernono l'estensione delle sezioni auree successivamente individuate partendo da quella, a, relativa all'intera parete (e che coincide con uno stipite dell'uscio).*

cure); *3* - sconosciuto; il medico Giovanni da Gargnano [Davari]; Alessandro Gonzaga, fratello di Ludovico III [Magnaguti, "V" 1947]; *4* - Gianfrancesco Gonzaga, terzogenito di Ludovico III (da confrontarsi con effigie plastiche ecc. [Camesasca]); Federico Gonzaga, primogenito di Ludovico III [A. Venturi; ecc.]; cardinale Francesco Gonzaga [Brinton]; Car-

Barbara Gonzaga, penultima figlia di Ludovico III [Bellonci; ecc.]; Susanna [Intra] o Dorotea [Luzio] Gonzaga, figlie dello stesso; Margherita di Baviera [Brinton; ecc.]; Gentilia Gonzaga (?), ultimogenita di Carlo [Bellonci]; sconosciuta [Paccagnini]; *11* - sconosciuta; Cecilia (?) o Margherita (?) Gonzaga, sorelle di Ludovico III [Camesasca]; una nutrice [Davari;

**51 A** [Tav. XLII-XLIII]

**51 B**

**51 C** [Tav. XL-XLI]

ecc.]; una suora [A. Venturi]; *12* - una nana; Cecilia [Intra] o Paola [Brinton] Gonzaga, figlie di Ludovico III; *13* - un cerimoniere (?) o Giovanpietro Gonzaga (?), cugino e consigliere di Ludovico III [Camesasca]; il Mantegna [Milanesi, in Vasari, 1874]; Gianfrancesco Gonzaga di Novellara [Davari]; *14* - Ugolotto Gonzaga, figlio di Carlo [Id.; ecc.]; Rodolfo Gonzaga, quarto figlio di Ludovico III [Pacchioni; ecc.]; *15* - membro sconosciuto di casa Gonzaga;

Evangelista, figlio naturale di Carlo Gonzaga [Davari] (nella fotografia del dipinto, ripresa entro il 1875, questo personaggio assomiglia molto a Francesco Sforza [si veda n. 27]); *16* - membro sconosciuto di casa Gonzaga; *17* - Ludovico III (?) [Milanesi]; Federico Gonzaga (?) [Bellonci; ecc.]; un cerimoniere (?) [Camesasca]; *18* - membro sconosciuto o un corriere di casa Gonzaga; un accompagnatore di Federico Gonzaga [Milanesi]; Federico Gon-

zaga [Intra; Brinton; ecc.]; Francesco Gonzaga (poi cardinale) [A. Venturi; ecc.]. Per ulteriori ragguagli si veda nella premessa alla Camera.

## La parete est

Tranne la zona occupata dalla finestra, vi si 'stendono' le cortine, per le quali si veda nella premessa.

## La parete sud

Anche qui, tranne che sulle aperture (piccolo vano e uscio), le finte cortine sono abbassate, come sulla parete precedente. Inoltre, sopra l'uscio, su un intonaco che sostituisce quello primitivo (dove forse si stendeva pure la finta cortina), è raffigurato uno stemma dei Gonzaga circondato da genî alati, malamente copiati da quelli della targa nella parete ovest (n. 51 B).

## La parete ovest

Tre figurazioni, forse legate tematicamente e senz'altro unite dal paesaggio, si susseguono nella presente parete. Il Camesasca, giudicando dalle tracce di un vecchio uscio, rilevate all'estrema sinistra della parete [1959], prospetta [1964] che il Mantegna l'abbia fatto accecare e sostituire con quello esistente oggi, sito in modo da permettere le concordanze 'auree' fra particolari dipinti ed elementi architettonici della parete (si veda anche nella premessa alla Camera).

**51** ▦ ✛  235* *1474  ▤ ⁝

### A. FAMIGLI CON CAVALLO E CANI.

Per il presente e il successivo scomparto venne talora adottato il titolo di *Ritorno dalla caccia* [Intra; Pescasio; Brinton; ecc.], che però nulla sembra giustificare. Per i personaggi non resta possibile alcuna identificazione oltre a quella generica che siano valletti dei Gonzaga; quanto al cavallo — forse di razza ungherese —, si è supposto sia quello di Ludovi-

*Rilievo e sezione delle incorniciature dell'uscio nella parete ovest.*

co III; i cani sono alani; il castello, a sinistra, sarebbe stato simile a quello di Goito, non più esistente [Brinton]; nell'edificio circondato da impalcature va forse riconosciuto [Camesasca] il "grandioso palazzo" intrapreso nel 1468 da Ludovico III a Bondanello, presso Gonzaga [Schivenoglia, *Cronaca di Mantova dal 1445 al 1484*], e demolito nel '700; l'arco naturale si suole identificare col ponte di Veia (Verona) [Giannantoni; ecc.]. Rima-

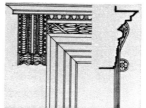

*Particolare del dipinto n. 51 B col testo della tabella dedicatoria e la data, evidentemente alquanto manomessa da ripassature.*

*Schema delle 'giornate' dell'affresco n. 51 C. Il grafico serve inoltre per l'identificazione dei personaggi raffigurati (con le stesse modalità che per quello, di pag. 105, relativo al n. 50).*

*La testa del cardinale Gonzaga, nel n. 51 C, prima e dopo i restauri del 1938-41. Nella riproduzione a sinistra si noti come le stuccature a gesso dei restauratori ottocenteschi siano in parte crollate.*

ne sconosciuta l'origine della zona neutra, all'estrema sinistra, stesa sul dipinto (o, forse, su un intonaco nuovo), lasciandone sbucare la mano additante di un personaggio, in tal modo distrutto.

### 51 230* 1474

**B. FAMIGLI, CANI E GENÎ REGGITARGA.**

Non sono da rammentare identificazioni per i due personaggi a sinistra, oltre a quella generica di domestici di casa Gonzaga, con tre segugi (trattenuti da un invisibile bracchiere, celato dal finto pilastro). L'edificio sopra l'uscio assomiglia ai mausolei romani di Augusto e Adriano, con elementi di altri edifici antichi [Tamassia]. Dei nove genî alati, il Moschetti crede che i tre sotto la targa derivino da frammenti del Trono di Saturno a Venezia e da un'ara bacchica nel Museo Maffeiano di Verona, mentre la Tamassia li riferisce a sculture antiche in Mantova, Venezia e Verona, e a un frammento del Trono di Giove a Firenze; e collega quello disteso, a destra, con un avanzo di trono classico a Ravenna. Il testo della scritta sulla tabella è: "ILL. LODOVICO II M.M. / PRINCIPI OPTIMO AC / FIDE INVICTISSIMO / ET ILL. BARBARAE EJVS / CONIVGI MVLIERVM GLOR. / INCOMPARABILI / SVVS ANDREAS MANTINIA / PATAVVS OPVS HOC TENVE / AD EORV DECVS ABSOLVIT / ANNO MCCCCLXXIIII"; cioè: "All'illustrissimo Ludovico, secondo marchese di Mantova, principe ottimo e di fede ineguagliata, e all'illustre Barbara, sua consorte, incomparabile gloria delle donne; il loro Andrea Mantegna, padovano, compì la presente modesta opera in onore loro l'anno 1474". Assai alterati o depressi da restauri, vecchi e recenti, le due teste dei valletti (per le quali venne addirittura rifatto l'intonaco), i genî (tranne, in parte, quello sopra la targa, a destra), e la scritta stessa (specie la data).

### 51 235* *1474

**C. L'INCONTRO.**

Circa il tema, oltre a quanto si è accennato finora (si veda nella premessa e nel commento del n. 51 A), la critica recente è soprattutto orientata a riconoscere il ricevimento del cardinale Francesco Gonzaga, secondogenito di Ludovico III, in occasione d'uno dei suoi ritorni a Mantova. Il cronista Schivenoglia [1445-84] si sofferma in particolare su quello del dicembre 1461, subito dopo la concessione del galero, e su quello dell'agosto 1472, per l'assunzione del titolo di Sant'Andrea. A parte l'ambientazione in un paesaggio per nulla invernale, la presenza dei personaggi più giovani (alcuni dei quali non ancora nati nel '61) consiglia di dare la preferenza al secondo, avvenuto a Bondanello [Cavalcaselle; ecc.] (si veda, però, il n. 51 A); tanto più che allora il presule arrivava forse da Roma, la città che, alquanto volonterosamente, si può riconoscere nel fondo. Quanto a quest'ultima, si possono indicare le Mura aureliane con inserito l'Arco di Tito, il Colosseo (stranamente bruno), la Domus Flavia in rovina, la Piramide di Caio Cestio, il Ponte Nomentano, l'Acquedotto di Claudio, il Teatro di Marcello e, nella statua, un miscuglio dell'*Atleta* del Vaticano e di qualche *Ercole* [Tamassia]: con licenze tali — sia a causa della fonte adottata (che poté essere una silografia del *Supplementum chronicarum* [Camesasca]), sia per altri motivi — per cui la definizione di "città umanistica" [Coletti] risulta la più felice. Degli edifici nel fondo è pure da segnalare quello bianco, a sinistra (nonostante la piccolezza, vi si scorgono figure affacciate alle finestre), già dal Coletti indicato come palladiano *ante litteram*, e dal Bottari inteso come anticipazione del Palazzo Chiericati di Vicenza. Rimane da ricordare che, nel '72, Francesco Gonzaga era accompagnato da alcuni membri di casa Pico della Mirandola (tuttavia non si saprebbe indicare qui il cardinale Giovanni, che li guidava), e che la sua venuta si collegava alla costruzione della chiesa di Sant'Andrea, ideata dall'Alberti. Anche per l'*Incontro*, la molteplicità delle identificazioni ha determinato divari nel riconoscimento dei personaggi. Se ne dà conto qui di seguito, con le stesse modalità adottate per la *Corte*: *1* - sconosciuto; un Pico della Mirandola [Intra]; Carlo Gonzaga [Luzio; ecc.]; *2* - come il precedente; *3* - marchese Ludovico III Gonzaga (si veda il n. 2 nel commento della *Corte*); *4* - verosimilmente un Gonzaga, per la somiglianza con Ludovico III [Camesasca]; un Pico della Mirandola [Intra]; Dorotea [Brinton] o Gianfrancesco [Fiocco; ecc.] Gonzaga; *5* - il futuro marchese Francesco II Gonzaga, primogenito di Federico I (confrontabile con effigie sicure, anche se posteriori); *6* - cardinale Francesco Gonzaga (*id.*); *7* - il futuro cardinale Sigismondo Gonzaga, terzogenito di Federico I (*id.*); *8* - forse Bernardino, figlio del Mantegna [Camesasca]; l'Alberti [Intra]; il Mantegna stesso [Patricolo]; *9* - protonotario Ludovico Gonzaga, ultimogenito di Ludovico III (confrontabile con effigie sicure); Giovanni Pico della Mirandola [Tietze-Conrat]; *10* - Giambattista Alberti (?) [Camesasca] (confrontabile con effigie abbastanza sicure); il Poliziano [Intra; ecc.]; un Pico della Mirandola o Evangelista Gonzaga [Bellonci]; *11* - il Mantegna (confrontabile con effigie sicure); *12* - il futuro marchese Federico I, primogenito di Ludovico III (*id.*). Fra le numerose figurette del fondo se ne scorgono anche di cavatori, cui lo Hartt collegò sensi reconditi: in particolare, la colonna dinanzi alla caverna (sull'estrema destra) si identificherebbe con la vita sessuale cui il presule aveva rinunziato; anche le montagne, così tipiche del repertorio mantegnesco, sarebbero allegoriche, riferendosi al motto dei Gonzaga "Ad montem duc nos". Sarà casomai da osservare come questo monte — analogo a quello del *Martirio di san Giacomo* agli Eremitani (n. 14 J), dove incombe sui personaggi, — abbia "trovato qui la sua giusta misura", grazie anche al "fortissimo" accento costituito dall'albero [Coletti].

*Incisione appartenente al British Museum, in rapporto col n. 52.*

### 52 70×102

**RITRATTI DI LUDOVICO III GONZAGA E BARBARA DEL BRANDEBURGO.**

Costituivano un unico dipinto; ma poiché entrambi gli effigiati guardavano da una stessa parte, si può credere — con la Tietze-Conrat — che si trattasse di due opere autonome arbitrariamente comprese entro una sola cornice. Peraltro, mentre il busto della marchesa riproduceva l'effigie nella Camera degli Sposi (n. 50), le sembianze di Ludovico erano giovanili. Il 'dittico' appartenne alla collezione Hamilton [Waagen, *Treasures*, III]; prima ancora poté trovarsi presso il pittore fiammingo Nicola Renier, a Venezia, la cui raccolta andò dispersa nel 1666; infatti, fra le varie opere che la costituiscono, sono ricordati [Segarizzi, "NAV" 1914] due ritratti come quelli in argomento, su tavola di "quarti" $3\frac{1}{3}$ per $4\frac{1}{3}$ (corrispondenti alle dimensioni indicate qui sopra). Passarono poi per la vendita Cernuschi (Parigi, maggio 1900), e in tale occasione il Kristeller li dichiarò probabili copie da originali perduti, adducendo una tarda incisione del British Museum che li riproduce, e inoltre due lettere dell'archivio Gonzaga, una delle quali (2 agosto 1471) menziona "due retracti" senza alcun'altra precisazione; mentre nella seconda, diretta dal maestro al marchese (6 luglio 1477), si parla espressamente di una effigie del destinatario della missiva, e forse anche dell'altra. Si può inoltre ricordare un "Ritratto del marchese Lodovico di Mantova, fatto in tavola al naturale, cioè in testa, alto quarte 4 e un terzo, largo 3 e un terzo", menzionato dal Campori come opera del Mantegna, ma senza indicarne l'ubicazione.

### 53 10,7×8,2

**RITRATTO D'UOMO (RODOLFO GONZAGA?). New York, Metropolitan Museum.**

Nel catalogo della collezione Bache di New York [1937], cui appartenne, veniva designato come effigie di Gianfrancesco II Gonzaga, autografa del Mantegna. Il Berenson accolse, con l'identificazione, anche il riferimento al maestro. Il Fiocco li respinse entrambi, seguito dalla Cipriani (che però riconosce dubitativamente "Francesco Gonzaga") e dalla Tietze-Conrat, che meglio ravvisa Rodolfo Gonzaga per la somiglianza con il ritratto nella serie di Ambras (sulla cui attendibilità iconografica sono però leciti dei dubbi), e ascrive il dipinto a un copista veneziano.

### 54 42×32 *1475*

**MADONNA COL BAMBINO. Berlino, Staatliche Museen.**

Nel secolo scorso il conte della Porta di Piacenza la cedette al Simon di Berlino, dal quale pervenne al museo. Unanime l'ammissione dell'autografia. Quanto alla cronologia, il Kristeller — seguito dall'Arslan — l'accostò alla *Santa Eufemia* di Napoli (n. 18); per il Fiocco, dell'inizio del soggiorno mantovano; secondo la Tietze-Conrat — concorde il Pallucchini —, della giovinezza, a causa di evidenti caratteri donatelleschi; per il Paccagnini e il Gilbert, successiva al ritorno dalla Toscana; tarda, a parere del Longhi e del Camesasca. Vi si riscontra qualche lieve, inadeguato restauro.

### 55 1478*

**Ornamentazioni (?). Già (?) a Gonzaga (Mantova), Castello.**

Notizie alquanto incerte, riferibili a un periodo dal 1468

53

54

al 1478, potrebbero concernere un'attività esplicata dal Mantegna anche in questa residenza dei signori di Mantova, sorta — precisamente a Bondanello (si veda n. 51 A) — per volere di Ludovico III a partire appunto dal '68 (in realtà doveva trattarsi del riattamento d'un edificio medievale), e distrutta nel '700. Sembra [Kristeller] che circa dieci anni dopo il maestro abbia diretto, fra l'altro, la dipintura d'un fregio, dedicato ai quattro Elementi, che potrebbe essere [*Id.*] in rapporto con la coppia di stampe formanti la *Zuffa di dèi marini* (mm. 307×415 e 258×393), per la cui attribuzione vale quanto si dice su quella dei *Baccanali* (n. 35). Il tema della *Zuffa* venne collegato [Förster, "JPK" 1902] agli ittofagi descritti da Diodoro Siculo nella *Biblioteca*, ciò che fu condiviso da vari studiosi nonostante la mancanza di riscontri convincenti [Tietze-Conrat]; per il Wind ["JWCI" 1938-39] si riferirebbe piuttosto a Luciano; il Delaborde [*La gravure en Italie*, 1877], seguito ancora dal Petrucci ["D" 1930-31], crede invece che derivi da un rilievo in terracotta scoperto a Ravenna, che il Rubbiani ["ASA" 1895] dimostrò posteriore (1500 c.). Quanto alla cronologia, lo Zani [*Materiali* ..., 1802] credette di leggere la data 1481 sotto la parola "INVID", nel cartiglio retto dalla megera (stampa di sinistra); il Petrucci scorge 1461, mentre non sembra trattarsi di cifre, bensì della trascrizione greca o ebraica di 'invidia' [Tietze-Conrat]. Anche nel presente caso, come per uno dei *Baccanali* accennati sopra, esiste il termine *post quem non* d'una copia incisa dal Dürer nel 1494; e si può tuttavia pensare che l'ideazione, del Mantegna, risalga almeno a circa quindici anni prima.

### 56 275×142 *1480*

**SAN SEBASTIANO (San Sebastiano di Aigueperse). Parigi, Louvre.**

Il martire è legato a un elemento architettonico semidiroccato, analogamente che nel dipinto di Vienna; ai suoi piedi, alcuni frammenti prescelti con gusto tipicamente archeologico; nel fondo, edifici antichi in rovina, mescolati a case moderne, ai piedi d'una roccia dominata da un castello. I busti dei due arcieri rivelano evidenti reminiscenze di van der Weyden. Pervenne al museo dalla chiesa di Notre-Dame ad Aigueperse, alla quale venne presumibilmente donato da Chiara Gonzaga quando (1481) andò sposa al conte Gilbert di Bourbon Montpensier. Per Fiocco e Coletti, anteriore alla Pala di San Zeno (n. 23) e prossimo all'*Adorazione dei pastori* di New York (n. 7); secondo la Tietze-Conrat e la Cipriani, riferibile al tempo della Camera degli Sposi (pag. 100); il resto della critica lo ascrive per lo più al 1480 circa.

Una copia di scuola padovana si trova al Buckingham Palace di Londra.

### 57 66×81 *1480*

**CRISTO MORTO. Milano, Brera.**

A sinistra, la Madonna e san Giovanni evangelista. Un "Cristo in scurto" viene citato da

Ludovico Mantegna, nella lettera al marchese Gonzaga del 2 ottobre 1506 (si veda *Documentazione*), fra le opere lasciate dal padre; si sa inoltre che il dipinto fu acquistato dal cardinale Sigismondo. Le sue vicende successive non appaiono chiare, nonostante la particolareggiata disamina di H. Tietze ["AA" 1941]; nemmeno una recente ricostruzione dei fatti proposta dal Camesasca è valsa a fare completa luce, pur adducendo vari elementi nuovi.

(Dall'alto) Le due parti (mm. 307×415 e 285×393) dell'incisione con la Zuffa di dèi marini (si veda n. 55); la prima (Roma, Gabinetto delle Stampe) presenta ritocchi a penna che il Kristeller credeva eseguiti dal Mantegna stesso; l'altra è nota in due stati diversificati nella trattazione delle piante acquatiche. - (In basso) Disegno (inchiostro, mm. 245×353; Chatsworth, Collezione del duca del Devonshire) relativo alla prima parte delle due parti costituenti la Zuffa, per lo più considerato autografo.

Sembra comunque che, forse in seguito al sacco di Mantova (1630), l'opera sia finita a Roma, dove la ricorda il Félibien (seconda metà del secolo XVII) nella quadreria del cardinale Mazzarino; poco dopo lo stesso dipinto, o uno di tema identico, può essere pervenuto a Camillo Pamphilj, che lo offrì a Luigi XIV, presso il quale lo vide il Bernini durante il suo soggiorno a Parigi; e sembra che proprio in Francia sia stata comperata la tela in esame, non molto prima di entrare a Brera (1824) con i beni di Giuseppe Bossi. Però l'Yriarte asserisce che essa precedentemente si trovava a Venezia, a conferma dell'esistenza di almeno due versioni. In effetti l'inventario dei beni degli Aldobrandini di Roma, redatto nel 1611 e reso noto dalla Della Pergola ["AAM" 1960], elenca "Un quadro con Cristo in scorto in una tavola, morto, con doi donne che piangono, di mano di Andrea Mantegna"; an-

che senza soffermarci sulle "doi donne" (agevoli da spiegarsi anche qualora si trattasse dell'esemplare braidense), rimane la diversità del supporto, rilevata dalla stessa Della Pergola, la quale si domanda se il quadro Aldobrandini fosse una replica o una copia. Ad ogni modo rimane indiscutibile la sua presenza a Roma, sostenuta dall'Yriarte; questi pensa che, trasferito poi a Parigi, sia andato disperso. La Tietze-Conrat asserisce che un'altra edizione dell'opera è ricordata dal Summonte [1524] in San Domenico di Napoli; ma il Bologna ["P" 1956] ha provato che si trattava d'un dipinto, peraltro perduto, in rapporto iconografico con la stampa mantegnesca della *Deposizione nel sepolcro*. Come si vede, la questione è complessa. In ogni caso, non sono da segnalare dubbi circa l'autografia dell'opera braidense, mentre appaiono forti i divari sulla datazione: per l'Yriarte presenta caratteri del periodo padovano; il Fiocco e il Berenson, con largo seguito, la giudicano tarda; il Pallucchini [1956-57] la crede impostata dopo il viaggio in Toscana; il Longhi [1962] pensa che l'esecuzione non si sia protratta oltre il 1490; l'Arslan e il Ragghianti [1962], riprendendo le ipotesi del Thode e del Kristeller, l'ascrivono al 1475 o comunque all'ottavo decennio del '400; il Camesasca è del parere che sia stata iniziata fra il 1478 e l'85. La Tietze-Conrat, contrastata dalla Cipriani ma consenziente il Bottari, sostiene che le due figure di dolenti furono inserite in un secondo tempo, quasi a conferma d'un rilievo del Marangoni [*Saper vedere*], che ne asseriva l'incoerenza stilistica rispetto al resto dell'opera. Inutile ricordare la popolarità goduta dal dipinto per l'acrobatica intelaiatura prospettica, grazie alla quale la figura di Cristo 'segue' il riguardante in ogni suo spostamento. Il Camesasca ne riferisce la concezione allo stesso ordine d'idee da cui originò lo scorcio dell'oculo nella Camera di Mantova (n. 46), a suo dire non alieno dal desiderio di stupire. D'altronde la critica recente pone soprattutto l'accento sul "tono di livido crepuscolo", quale più autentico valore del dipinto [Cipriani]. Per la versione De Navarro, si veda il n. 58.

**58** ⊞ ⊗ 65×75 ▤ ⦂

**CRISTO MORTO. Glen Head (New York), Collezione De Navarro.**

Reso noto da H. Tietze ["AA" 1941] quando apparteneva alla

**56** [Tav. XXVII-XXX]

Jacob M. Heimann Gallery di New York, dalla quale passò alla sede odierna. Per lo studioso, si tratta del genuino modello — riferibile al periodo padovano — del dipinto di Brera (n. 57): l'opera cioè citata da Ludovico Mantegna dopo la morte del padre. La Tietze-Conrat, ribadendone l'autografia (concorde il Fiocco), lo riteneva però successivo al ritorno del maestro dalla Toscana. Il riferimento diretto al Mantegna non ebbe ulteriori convalide; anzi suscitò forti contrasti, in particolare nella Cipriani, nel Camesasca e nel Longhi: quest'ultimo dichiarò il dipinto De Navarro "copia parziale scadentissima, forse di un secolo dopo l'originale" appartenente alla Pinacoteca di Brera.

Neppure suscitò entusiasmi la tavola a olio dello stesso tema (cm. 65,5×73,5), passata per un'asta milanese (1963) col riferimento a "maestro italiano della seconda metà del '400", e dal Camesasca dichiarata in realtà di fattura tardo-cinquecentesca.

**59** ⊞ ⊗ 1483 ▤ ⦂

**Ornamentazione di una stanza. Già (?) a Mantova, Palazzo Ducale.**

In una lettera del febbraio 1483 (si veda *Documentazione*) il vescovo Ludovico Gonzaga comunica al prefetto Giovanni della Rovere che il Mantegna si trova nell'impossibilità di recarsi a Roma, essendo occupato a decorare un ambiente per i signori di Mantova. La notizia fu collegata alla Camera degli Sposi (si veda), ma a ragione vi si oppose già il Cavalcaselle. Tuttavia, nell'assenza di ulteriori ragguagli, non si saprebbe indicare alcun altro ambiente della Reggia; e pare addirittura possibile che la scusa addotta nella missiva fosse un ripiego inventato.

**60** ⊞ ⊗ *1484 ▤ ⦂

**GIUDITTA.**

Nell'inventario dei beni di Lorenzo il Magnifico (1492) risul-

**57** [Tav. LX-LXI]

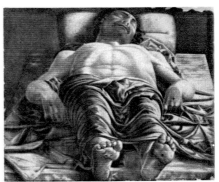

**58**

62 [Tav. LI]

ta una "tavoletta [di Giuditta] opera d'Andrea Squarcione" [Müntz, 1888], artista da riconoscersi nel Mantegna stesso (si veda *Documentazione*, 1441). Il Vasari non la menziona; né persuade l'identificazione col dipinto di Washington (n. 74), oltre che per la provenienza, a causa dello stile, troppo anteriore al 1484, l'anno in cui il dipinto fu verosimilmente inviato al Magnifico (si veda *Documentazione*). La Tietze-Conrat pensa che una testimonianza dell'opera sia forse da scorgere nelle *Giuditte* incise da Zoan

Andrea e dal Mocetto; le quali, peraltro, risultano in relazione con i dipinti di Washington (n. 74) e di Dublino (n. 75).

**61** 1484*?

**ARCIERE E SCUDIERO. Già (?) a Mantova, Palazzo Ducale.**

Il Cavalcaselle menziona, sul soffitto della Scalcheria di Mantova, un "uomo con ragazzo che gli porta le frecce, segno evidente dell'attività del Mantegna una decina d'anni dopo la Camera degli Sposi". L'autorità dello studioso fa deprecare che non sussista alcuna traccia dell'opera.

**62** 89×71 1485*

**MADONNA COL BAMBINO E CHERUBINI. Milano, Brera.**

Spesso la si identifica col "quadro de legno depincto cum Nostra Dona et il figliolo cum serafini", menzionato in un inventario ferrarese del 1493 relativo ai beni degli Estensi [Campori, 1870]; però la designazione degli angioletti consiglia cautela [Camesasca]. Un ulteriore tentativo di riconoscervi il dipinto che il Vasari rammenta a Fiesole presso l'abate Matteo Bosso, amico del Mantegna, sembra definitivamente respinto [Catalogo della Mostra della pittura ferrarese, 1933]. Fino al 1808 rimase nel convento di Santa Maria Maggiore a Venezia, dove presumibilmente la menziona il Sansovino [*Venetia descritta*, 1604]: "un quadro della Madonna da eccellentissima mano dipinto", ricordato assieme a due *Madonne* del Giambellino, cui rimase attribuita anche questa fino al restauro compiuto dal Cavenaghi nel 1885, in seguito al quale si affermò l'attribuzione al Mantegna. In dipendenza dall'identificazione con l'opera a Ferrara nel 1493, di solito la si crede eseguita nel 1485 per Eleonora d'Aragona, consorte di Ercole I d'Este, come risulta da lettere rese note dal Baschet e dal Braghirolli. La Tietze-Conrat ribadì la concordanza fra la data 1485 e lo stile del dipinto, in cui la raffinatezza della stesura rivelerebbe ancora, sebbene ormai remote, talune reminiscenze di Donatello. Studiosi più recenti, come il Middeldorf [in Camesasca, 1964] e il Camesasca, sembrano piuttosto orientarsi di nuovo verso Giambellino: il primo dei due, con un riferimento diretto; il secondo, pensando a una stretta collaborazione tra il veneziano e il padovano. Cattivo lo stato di conservazione, soprattutto a causa di grossolani ritocchi; inoltre il Longhi indicò giustamente che la tavola dovette essere stata ridotta, specie verso il basso.

## Trionfo di Cesare

La serie, di nove tele di identiche dimensioni, si conserva nel Palazzo Reale di Hampton Court (Londra). Il Vasari riferisce che venne eseguita per Ludovico III Gonzaga; però la notizia non sembra attendibile, poiché il marchese morì nel 1476, e casomai il ciclo fu iniziato, un paio d'anni dopo, secondo l'ipotesi della Tietze-Conrat, quantunque non se ne abbiano ragguagli sicuri prima del 1486, quando (si veda *Documentazione*, anche per i successivi accenni cronologici) Guidobaldo d'Urbino potè vedere il *Trionfo* che il Mantegna "stava dipingendo"; d'altronde in una lettera del 1489 il maestro stesso dichiara che soltanto alcuni 'pezzi' erano compiuti, e altri in preparazione nel Palazzo Ducale; ancora nell'atto di donazione del 1492 risulta che il beneficiario sta attendendo alla serie; che in effetti non fu terminata, come risulta da una lettera del 1494, in cui il ciclo è dichiarato mancante di due 'pezzi', mai eseguiti. Dal protrarsi della stesura si volle inferire uno scadimento d'interesse per l'antico da parte del pittore, in seguito al viaggio a Roma: ma l'ipotesi è discutibile, anche se — a differenza della Tietze-Conrat, per la quale il soggiorno nell'Urbe deve avere determinato qualche sviluppo nell'attuazione del ciclo — vari studiosi escludono conseguenze determinanti derivate da quel viaggio. Del resto la fonte principale fu bene indicata dal Kristeller nell'ambito

63 A

63 B

63 C

letterario, in particolare — come dimostrò il Giehlow ["JKS" 1915] — nel *De re militari* del Valturio, edito a Verona nel 1472; di contro, così come si esclusero [Camesasca] suggerimenti diretti da parte dei 'trionfi' allestiti nelle piazze italiane in occasioni d'ogni genere, dai grandi ricevimenti ai carnevali e ai funerali, si tende pure a deprimere [Tietze-Conrat; ecc.] l'importanza ispirativa esercitata da opere antiche in Roma, quali il fregio del Tempio di Vespasiano, i rilievi della Colonna traiana, degli Archi di Costantino e Tito (addotti invece da Giehlow, Blum e Paribeni [1940]), essendo possibile che, in ogni caso, tali opere fossero note al maestro attraverso riproduzioni, parte delle quali giunta fino a noi. Non per questo persuade — notava già la Cipriani — l'intricatissima tesi prospettata dallo stesso Giehlow e ribadita dalla Tietze-Conrat, secondo cui l'impiego di motivi antichi — festoni, membra umane, crani di animali ecc. — dette luogo, attraverso le elaborazioni e combinazioni del Mantegna, a un

110

(*In alto*) *La stampa (mm. 282×262; Bartsch, n. 11) cosiddetta dei Senatori, forse derivante da un'ideazione del Mantegna, per il* Trionfo di Cesare, *non realizzata. - (Qui sopra) Copia incisa del n. 63 F con l'aggiunta di un pilastro, forse concernente l'ubicazione originaria del* Trionfo di Cesare.

**63 D**

**63 E**

**63 F**

**63 G**

**63 H**

**63 I**

una prova della partecipazione o almeno della sorveglianza esercitata dal maestro sullo svolgimento del lavoro. Già nel 1497 il vescovo Ludovico Gonzaga si proponeva di adibire gli elementi del ciclo alle decorazioni d'un cortile esterno, e un funzionario scriveva al marchese (14 gennaio) alcuni consigli per ovviare ai pericoli delle intemperie. Nel 1501 risultano sicuramente usati in uno spettacolo teatrale in Mantova, ma la descrizione del Cantelmo [in Luzio - Paribeni, 1940] non è tale da chiarire le modalità dell'impiego. Nel 1506, appena morto il pittore, furono sistemati nella casa che si era costruito a porta Pusterla, presso la chiesa di San Sebastiano: qui, la dislocazione nel cortile, negli intervalli fra un pilastro e l'altro del porticato (cui si affidava il compito di celare le soluzioni di continuità, per il riguardante posto verso il centro del cortile stesso), doveva attuare l'effetto di una figurazione ininterrotta, alla quale deve aver mirato l'autore. (Il rapporto con l'architettura sembra testimoniato da un'incisione della bottega mantegnesca, in cui l'elemento n. 63 F risulta appunto accostato a un pilastro). Verso i primi del '600 vennero riportati in Palazzo Ducale; poco dopo furono ceduti a Carlo I d'Inghilterra, in seguito a lunghe trattative, protrattesi dal 1627 al '29, giacché oltretutto la corte mantovana temeva che la cessione della serie potesse causare rivolte popolari. Forse il viaggio di trasferimento a Londra o una prolungata permanenza negli imballaggi apportarono gravissimi danni al complesso (ovvero aggravarono quelli che già si erano potuti verificare); fatto sta che, all'inizio del '700, esso fu sottoposto a un malaugurato restauro, risoltosi in una drastica ridipintura da parte del Laguerre, per cui la tempera originaria rimase disastrosamente sommersa da 'mani' di olio e colla. Nel 1919 R. Fry ne promosse il ripristino; ma un'indagine espletata sul primo elemento dette risultati tanto sconcertanti da fargli abbandonare il progetto; vi diede seguito K. North nel 1931-34, ma senza risultati soddisfacenti.

Non sappiamo se il Rubens poté vedere la serie mentre ancora si trovava nella casa presso San Sebastiano; di sicuro essa lo impressionò a tal punto da indurlo a parafrasarla nei propri *Trionfi*. Né fu il solo a subirne il fascino, visto che se ne conoscono varie copie: nella Pinacoteca di Siena (limitata a quattro 'pezzi'; olio su rame, cm. 21×19 ciascuno), nel Palazzo Ducale di Mantova (nove affreschi, da una casa mantovana; riportati su tela, cm. 160 ×150 ciascuno), nell'Alte Pinakothek di Monaco, e di altre, dipinte nelle stesse dimensioni degli originali, rimangono sicure notizie (una venne forse eseguita anche a Marmirolo, sotto la direzione del Mantegna stesso [n. 81]; inoltre ne sussistono alcune disegnate o incise. Soprattutto a queste ultime — in ispecie la serie eseguita da A. Andreani nel 1559 — si deve la grande rinomanza del ciclo.

I singoli elementi vengono qui di seguito descritti separatamente; dato il loro precario stato, rimane impossibile tentarne una definizione cronologica: pertanto i simboli premessi al primo si intendono validi per i restanti otto, e non vengono ripetuti.

complesso di simboli (che a torto sarebbero intesi oggi come semplici ornamenti), determinati come caratteri pittografici in rapporto a ciò che l'Alberti credeva avessero fatto i romani nei confronti dei geroglifici egizi; cosicché il maestro, creando il *Trionfo*, avrebbe concretato un proprio "sogno" in modo del tutto estraneo alle reliquie figurative della classicità. Neppure convince un'altra ipotesi rivolta a provare una genesi eminentemente 'mantovana' della serie, avanzata dal Fiocco, indicando

quale "preludio" del *Trionfo* il frontale di cassone riproducente in pannelli a pastiglia e pittura la *Giustizia di Traiano* (Klagenfurt, Landesmuseum), per lo studioso riferibile all'attività plastica del Mantegna (ma giustamente escluso dal novero dei suoi autografi). Quanto alla stesura, benché l'intervento di collaboratori sia ovviamente da ammettere in un'impresa così ampia, rimane tuttavia da segnalare che essa sembrerebbe essersi interrotta durante la permanenza in Roma del Mantegna: ciò che può costituire

**63** ⊞ ⊗ 274×274 *1480-95* 📋 ⦂

### A. TUBICINI E PORTATORI DI INSEGNE.

Si deve al Giehlow un paziente esame delle figurazioni espresse sugli stendardi, a destra, e su ogni altro elemento della composizione; ma l'inattendibilità dei risultati conseguiti dallo studioso, nel caso presente così come per gli altri 'pezzi' del complesso, ci esime dal riferirne.

### B. CARRO TRIONFALE, TROFEI E MACCHINE BELLICHE.

La scritta sull'asta della torcia si riferisce in particolare alle vittorie di Cesare in Gallia.

### C. CARRO CON TROFEI E PORTATORI DEL BOTTINO.

Fra le nuvole è forse la luna, a mo' di corpo rotondo con

111

sembianze umane. La continuità con il 'pezzo' precedente e col successivo **presenta** particolare evidenza.

**D. PORTATORI DEL BOTTINO, TORI SACRIFICALI E TUBICINI.**

Le scritte nelle drappelle delle tube si riferiscono alle diverse cariche di Giulio Cesare. A partire da questo elemento, il fondo si arricchisce di edifici, sempre più avvicinati al riguardante. Da notare, per la felice cadenza dell'impianto, la figura del giovane all'estrema destra.

**E. TORI SACRIFICALI ED ELEFANTI.**

Anche in questo 'pezzo' risulta immediatamente chiaro il rapporto di continuità col precedente. La presentazione delle fiaccole sarebbe ispirata dalla fila di fasci littori in un rilievo dell'Arco di Tito [Giehlow].

**F. PORTATORI DEL BOTTINO E DI TROFEI.**

Lo scarto prospettico rispetto all'elemento precedente può essere riferito all'ubicazione prevista dal maestro fra le pilastrate d'un cortile quadrato (si veda nella premessa al ciclo) e messo in rapporto con un angolo del cortile stesso.

**G. PRIGIONIERI E PORTAINSEGNA.**

**H. MUSICI E PORTAINSEGNA.**

**I. GIULIO CESARE SUL CARRO TRIONFALE.**

Secondo il Giehlow, l'uomo al centro, rivolto al trionfatore, sarebbe la personificazione di Roma e deriverebbe da un rilievo dell'Arco di Tito.

## Sinopie e affreschi di Sant'Andrea

Riguardano la facciata della basilica di Sant'Andrea a Mantova. Il primo ad accennarvi fu il Donesmondi [*Historia ecclesiastica di Mantova*, 1612-16], assegnando i tre tondi dell'atrio (*Ascensione* [n. 64 B-C], *Sacra Famiglia* e *Deposizione*) al giovane Correggio. L'attribuzione trovò eco nella storiografia locale fino all'inizio dell'800; poi venne dimenticata; tanto più che i dipinti, ormai molto guasti, furono ricoperti da nuovo intonaco e, su questo, grossolanamente copiati. Nel 1915, avendo A. Venturi riconosciuto nelle copie ottocentesche lo schema delle opere descritte dal Donesmondi, si provvide a rimetterli in luce; e lo studioso, unitamente al Pacchioni [1916], confermava il riferimento al Correggio per gli ultimi due, ascrivendo il primo a un seguace del Mantegna. Di recente si provvide a staccarli, assieme a un quarto tondo (*Santi Andrea e Longino* [n. 64 A]), ubicato sul frontone sottaciuto dal Donesmondi. Le opere furono esposte con molto rilievo alla mostra mantegnesca di Mantova (1961), assieme alle sinopie di alcune di esse. Qui

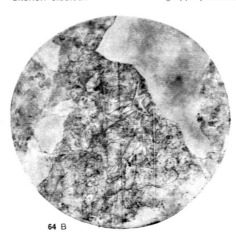

**64 B**

**64 C**

---

*(immagine centrale, incisione)*

Cristo risorto fra i santi Andrea e Longino, *incisione (mm. 392×325; Londra, British Museum) — in rapporto iconografico col dipinto n. 64 B — per lo più considerata autografa.*

di seguito si prenderanno in esame soltanto quelle che ricevettero il battesimo come lavori del Mantegna, escludendo le due ascritte al Correggio.

**64 ▦ ✪ diam. 200* 1488* ▤ ⁝**

**A. I SANTI ANDREA E LONGINO.**

Ritrovato sotto un intonaco dell'età neoclassica che ne replicava la composizione, analogamente agli altri tondi della serie (si veda qui sopra). Reca la data "MCCCCLXXXVIII". Le figure erano pressoché perdute già nel 1818, quando il Susani, ascrivendole al Mantegna, notava che ne "rimangono ora appena le teste"; peraltro anche una di queste andò perduta, e ora rimane, "irrimediabilmente sfregiata, parte della superficie pittorica della testa del s. Andrea, della croce e di uno dei sacri vasi", come avverte il Paccagnini [1961], notando tuttavia che "lo smalto del colore è di una forza cromatica eccezionale e l'impianto della testa ha una larghezza e una potenza di struttura che si ricollega alle opere dipinte dal Mantegna negli ultimi decenni del secolo". Data l'esiguità dei resti, l'asserzione rimane difficile da controllare; né risultano precisi pareri da parte di ulteriori studiosi.

**64 ▦ ✪ diam. 245 1488* ▤ ⁝**

**B. L'ASCENSIONE.**

Ritrovata sotto il dipinto qui di seguito descritto. Dallo scopritore, il Paccagnini, venne presentata come "uno dei più forti e liberi disegni del Mantegna", rilevando che presenta pure alcune delle zone perdute dell'affresco corrispondente. Per il Paccagnini stesso si tratta di una sinopia, indicandone però la derivazione per trasporto (reso evidente dalla punteggiatura di molte parti) da un cartone: ciò che di per sé non garantisce sull'autografia del maestro. Infatti, dopo che il Longhi [1962] ebbe a dichiarare l'opera in esame "quasi più fiacca dell'affresco stesso", il Camesasca suggerì che il maestro potesse averla 'dettata', più che eseguita di sua mano, prima di partire per Roma; e propose il confronto fra questa figura del Redentore e quella, analoga, nell'incisione con Cristo risorto fra i santi Andrea e Longino (mm. 392×325) [Bartsch, n. 6], che invero dimostra come nulla della tesa compattezza rilevabile nella stampa sia presente nella "sinopia-spolvero". A proposito dell'incisione è da notare come il Kristeller fosse quasi tentato di scorgervi la testimonianza d'un disegno per un gruppo plastico; la Tietze-Con-

rat oppose che essa sembra piuttosto riprodurre la composizione per un affresco posto in alto, sopra una porta: tesi che ebbe in certo senso una conferma dalla scoperta del dipinto esaminato qui di seguito.

**64 ▦ ✪ diam. 245 1488* ▤ ⁝**

**C. L'ASCENSIONE.**

Per le vicende dell'opera e le precedenti attribuzioni, si veda nella premessa al ciclo. Assieme alle vecchie citazioni individuate dal Paccagnini, è da ricordare la seguente, pur confusa, del Ridolfi [1648]: "Nel di fuori [della chiesa di Sant'Andrea, il Mantegna] dipinse inoltre gli apostoli, che mirano salire in cielo il Salvatore". Il Paccagnini stesso, pur assegnando al Mantegna la responsabilità artistica dell'affresco superstite, ammette che la stesura dei cherubini, sebbene "dipinti con un colore robusto e vivace", possa spettare a un aiuto; quanto alla figura di Cristo, rileva che "la forza plastica, la precisa struttura plastica del corpo gigantesco e delle pieghe del manto energicamente modellato sono segni inconfondibili dell'autografia del Mantegna". L'opinione fu recisamente rifiutata dal Longhi [1962] e dal Camesasca, adducendo la qualità peggiore che nella stessa sinopia (si veda n. 64 B, anche per altri ragguagli). La figura del Redentore risulta dipinta in tre 'giornate'. Lo stato di conservazione risulta assai cattivo a causa di numerose cadute dell'intonaco e di una generale scoloritura.

---

**65 ▦ ✪ *1490 ▤ ⁝**

**Ornamentazione della cappella di Innocenzo VIII.**

Iniziata verosimilmente nel 1488, di sicuro in via d'esecuzione nel giugno dell'anno successivo (si veda *Documentazione*) e compiuta nel 1490, comunque entro l'ottobre '91. Il locale, sito in Vaticano, a Roma, fu distrutto nel 1780 per fare posto al Museo Pio Clementino; del ciclo murale dipinto dal maestro non sussistono che i ragguagli di A. Taja [*Descrizione del Palazzo Apostolico*, 1750] e di G. P. Chattard [*Nuova descrizione del Vaticano*, 1762-67], dai quali sono attinte le seguenti note. In realtà l'ornamentazione interessava, oltre alla cappella, anche un ambiente contiguo, che fun-

geva da vestibolo. Questo era adorno di finti pilastri, distribuiti come nella Camera degli Sposi (pag. 100); negli intervalli, entro "credenzini", si scorgevano "calici, pissidi, croci, candelieri ed altri sacri vasi", un "ornamento cinese dipinto in fondo d'oro" e finti stucchi raccordavano i vari elementi decorativi; nella parete di fronte all'ingresso era dipinta una finestra con "ferrata a gabbia,

Innocenzo VIII *(carta su tavola; cm. 12×9,8; Ambras, Collezioni reali), in rapporto col n. 65.*

corrispondente verso la campagna"; nel soffitto, al centro d'una complessa ripartizione di rilievi simulati su fondo azzurro, l'insegna del pontefice committente. La cappella, quadra, era "ornata in ciascheduno angolo da un pilastro" simulante di "impostare la cornice", da cui si dipartivano i quattro archi di sostegno della volta; a destra, l'altare, contro una parete interamente occupata da affreschi ("il Precursor s. Giovanni, che battezza il Redentore, accompagnato da alcuni angioli, i quali tengono in mano le di lui vesti, con altre figure dalle parti, e fra di esse una a sedere che finge scalzarsi, con veduta di amenissimo paese, ed una città in distanza"; e sopra, "lo Spirito santo con due festoni di frutti superiormente delineati, nel mezzo dei quali pende un cartello color d'oro"); sulla parete opposta, una finestra corrispondeva a quella richiamata sopra, e negli sguinci presentava "alcuni putti in fondo azzurro", reggenti un ovato con la scritta: "Innocenzo VIII P.M. l'an. 1490, dedicò al Precursore san Giovanni Battista"; a un lato della finestra, la firma: "Andreas Mantinia patavinus eques auratae militiae pinxit"; sopra, "la Santissima Annunciata coll'angiolo, e lo Spirito santo in consimil fondo". Sul lato di fronte all'ingresso era raffigurata, fra molti soldati, la decollazione del Battista, "il quale si vede tutto paziente in aspettare il colpo di una pendente sciabola"; più in alto, sopra una cornice dipinta, "la Cena del re Erode, con moltissime figure intente tutte ad imbandire la già preparata mensa in un real giardino, con molti ornamenti di verdura, nel cui mezzo vedesi inalzata magnifica credenza con sottocoppe d'oro". Accanto all'ingresso, "in mezze figure, da una parte s. Antonio abate e s. Paolo primo eremita; e dall'altra, s. Stefano e san Lorenzo"; sormontati, questi ultimi, dall'*Epifania*; gli altri, dalla *Natività*; sopra l'uscio, un grande affresco della "Vergine che tiene il Bambino nelle braccia, alla destra di essa s. Paolo, s. Giovanni, e s. Caterina della ruota, ed a sinistra s. Pietro, s. Andrea", il papa committente genuflesso, "con altre sante vergini addietro". Delle mezze lunette isolate dagli archi della vôlta, tre presentavano una finestra rotonda, "prendendo lume solamente quella sopra l'altare"; nella quarta, "in chiaroscuro a campo color d'oro, il Sacrificio d'Abramo"; affiancate alle finestre stesse, una per lato, le allegorie di virtù: "la Fede, la Speranza, la Carità, la Descrizione [Discrezione] in figura di una vecchiarella" e "la Prudenza, la Giustizia, la Temperanza e la Fortezza". Quando alla Discrezione, la sua inattesa presenza viene giustificata dal Taja come un visibile richiamo dell'artista al papa perché provvedesse a pagarlo. Nei peducci della vôlta, i quattro Evangelisti, "ben coloriti in campo d'aria".

**66**

La vôlta, infine, era adorna "di molti tondi, uno coll'altro collegati a guisa d'un ingraticolato, interrotto da quindici putti, che sostengono alcuni festoni; quali tutti assieme vanno a reggere un ornamento situato nella cima di esso, dentro cui vedesi espressa l'arme di Innocenzo VIII"; e alcune teste di cherubini vi erano distribuite "in qua e in là". Evidente che pure nella cappelletta ricompariva il repertorio della Camera mantovana, espresso con la consueta "ostinazione manuale" [Camesasca], se dobbiamo credere al Vasari, il quale parla di pareti che "paiono più cosa miniata che dipintura [a fresco]". La Tietze-Conrat prospetta una relazione tra il profilo di Innocenzo VIII genuflesso alla Madonna e una sua effigie miniata ad Ambras (che però non è da ascriversi al Mantegna).

**66** ⊞ ✇ base 330 ▤ ⋮

**OTTO CANTORI. Roma, Vaticano (Palazzetto di Innocenzo VIII).**

A causa di certa somiglianza — invero caricaturale — con i tipi mantegneschi, e per l'ubicazione nel palazzetto del patrono romano del maestro, il Cecchelli asserì l'autografia della presente lunetta; respinta dal Fiocco (con riferimento, piuttosto, alla cerchia di Melozzo o del Palmezzano) e dalla Cipriani; e sottaciuta dal resto della critica. Opera in non buone condizioni a causa di varie lacune e scolorìture.

**67** ⊞ ✇ ══ ▤ ⋮

**SANTI, SFINGI, GENÎ E RACEMI. Roma, Palazzo Venezia (Sala del Mappamondo).**

Costituiscono una complessa ornamentazione, di gusto non lontano da quello del Mantegna, ma senza dubbio posteriore a lui. Tale comunque da non giustificare in alcun modo il riferimento diretto al maestro, avanzato dall'Hermanin ["D" 1930-31] in rapporto al soggiorno romano; il riferimento, respinto dal Fiocco e dagli studiosi successivi, è stato stranamente ripetuto, di recente, dal Mariacher [Ambienti italiani del '500, 1962].

**68** ⊞ ✇ 29×21,5 *1489* ▤ ⋮

**MADONNA COL BAMBINO (Madonna delle cave, Madonna della grotta). Firenze, Uffizi.**

La Madonna, seduta su una roccia, col Bambino semiaddormentato in grembo, è l'unica del

68 [Tav. L]

Mantegna raffigurata coi capelli sciolti [Hartt]; dietro, un'enorme rupe, come sul punto di esplodere, irradia una straordinaria luce rosata; per una volta il paesaggio non appare ossessivamente disseminato di ruderi classici, ma riprende scene di vita quotidiana; nel fondo, il verde si stempera in quello tenero del cielo. Il motivo dei cavatori, a destra, va inteso,

Elementi del fregio nella sala del Mappamondo in palazzo Venezia a Roma (n. 67). In alto: il tondo con l'effigie di sant'Ambrogio, e quello dedicato a san Gregorio Magno. Qua sopra: sfingi e altri motivi ornamentali raccordanti i singoli tondi con santi.

per il Knapp, come un ricordo di Carrara (ma il colore della pietra non sembra tale da persuadere in questo senso), mentre il Kristeller fa rilevare che, essendo il minerale di natura basaltica, si dovrebbe identificare il paesaggio con il monte Bolca fra Vicenza e Verona. Da notare le piccole pietre — sembrano gemme — disseminate in primo piano, ai piedi della Madonna. Lo Hartt offre una minuziosa interpretazione dei motivi iconografici, secondo cui sarebbe da ravvisare un'allegoria della Redenzione nel fatto che a destra del Bambino il paesaggio risulta immerso nell'ombra, privo di vegetazione, e la roccia espressa con linee tormentate; mentre sull'altro lato la parete rocciosa cade quasi a piombo, la città risplende nella luce di mezzodì, i campi sono pieni di grano e i pastori conducono tranquilli il gregge; in particolare, il sarcofago e la colonna attorno ai quali i cavatori

stanno lavorando, costituirebbero altrettanti simboli della Passione. Quantunque codeste interpretazioni possano risultare suggestive, non riescono a persuadere appieno. Yriarte, A. Venturi, Cipriani, Longhi, Camesasca e altri accreditano la notizia del Vasari di aver visto l'opera in casa di don Francesco de' Medici; il biografo asserisce inoltre che essa fu dipinta a Roma (1488-90). Knapp e Fiocco la credono del soggiorno fiorentino (1466); così pure il Kristeller e il Paccagnini, posponendola, però, di due anni, e accostandola al San Giorgio di Venezia (n. 41). La Tietze-Conrat, citando una lettera diretta dal maestro a Lorenzo de' Medici il 26 agosto 1484, in cui si parla dell'invio di "qualche operetta", pensa di poterle collegare il dipinto in esame; rimane tuttavia da notare che esso non viene ricordato nell'inventario mediceo del 1492. La studiosa stessa pone altresì in rilievo come soltanto verso la fine del secolo la Vergine perdesse, nell'iconografia usuale, gli attributi della maestà. Si riscontrano lievi tracce di restauro sul manto della Madonna; il cielo presenta qualche limitata spellatura.

**69** ⊞ ✇ 83×51 *1489* ▤ ⋮

**CRISTO SUL SARCOFAGO SORRETTO DA DUE ANGELI (CRISTO IN PIETÀ). Copenaghen, Statens Museum for Kunst.**

Firmato in lettere d'oro, in basso a destra, allo spigolo del basamento del sarcofago: "ANDREAS MANTINIA". A sinistra, in fondo, la città di Gerusalemme, da cui si snoda una strada su cui stanno sopraggiungendo due figure muliebri — forse le pie donne — , presso alcuni pastori che suonano; sull'altro lato, ai piedi del Calvario, una cava di pietra, con scalpellini al lavoro attorno a una colonna, una statua e altro. Secondo Panofsky ["FF"] e Hartt ["AB" 1940] si tratterebbe in realtà di una Imago pietatis. Un dipinto dello stesso tema risulta menzionato nell'inventario del Castello di Mantova steso nel 1627; comunque l'opera proviene (secolo XVIII) dalla quadreria del

69 [Tav. LIV]

Incisione (mm. 208×112), per lo più riferita alla cerchia immediata del Mantegna, in rapporto iconografico col dipinto n. 69.

cardinale Valenti, segretario di Benedetto XIV. Mentre il Krohn [Italienische Bilder in Danmark, 1910] pensava alla giovinezza del maestro, peraltro in rapporto col San Sebastiano di Vienna (n. 43; ma si veda), il resto della critica concorda nel riferimento al soggiorno romano, e la Tietze-Conrat vorrebbe precisare 1490. La Cipriani rileva, a proposito di quest'opera, un mutamento di tono nel Mantegna; l'esposizione, già usualmente piana, assorta in una fredda imperturbabilità, si spezza e diviene "affermazione di energia, gridata quasi con acredine, dove il dolore si manifesta in una continua contrazione dei profili". Probabilmente si tratta d'un dipinto a olio; buono lo stato di conservazione.

Il Borenius si riferisce a due stampe (elencate dal Bartsch: Mantegna, n. 7, e Zoan Andrea, n. 4) che possono testimoniare differenti versioni della composizione in esame. Invece il richiamo del Kristeller a un'altra edizione dipinta, allora sul mercato londinese, risulta destituito di fondamento, trattandosi della Meditazione sulla Passione del Carpaccio, attual-

113

70

71

**70**

**CRISTO PORTACROCE.** Verona, Museo di Castelvecchio.

Dai conti Morando de Rizzoni (presso i quali era ascritto a Francesco Mantegna) passò alla Galleria Bernasconi [Fiocco], e da qui alla sede odierna. Per il Berenson, copia da disperso originale del Mantegna, ovvero autografo, gravemente ripassato; secondo il Fiocco (confrontando con un preteso autografo, quale l'analogo soggetto di Oxford [n. 71]), senz'altro del maestro, benché assai sciupato; la Tietze-Conrat, pur escludendolo dal novero delle opere certe, lo considera come il dipinto più vicino di ogni altro al Cristo di Copenaghen (n. 69); per il Cipriani, dubbio, di Francesco Mantegna, al dire del Paccagnini. Il cattivo stato non consente un giudizio ulteriore.

**71**

**L'ANDATA AL CALVARIO.** Oxford, Christ Church.

La composizione è affine a quella del Portacroce di Verona (n. 70). Si trova menzionata nell'inventario dei Gonzaga stesso nel 1627; subito dopo pervenne a Carlo I d'Inghilterra con le altre opere acquistate a Mantova; quindi fece parte della collezione del generale J. Guise, alla cui vendita (1765) giunse nella sede odierna. A lungo creduta del Mantegna, ma già da tempo [Fiocco; ecc.] ascritta alla bottega o ignorata dalla critica.

**72**  \*1490

**RITRATTO DI MADDALENA SFORZA.**

"La testa della Ill.ma M. Maddalena de man del Mantegna, in profillo" è menzionata nell'inventario (Pesaro, Biblioteca Oliveriana) della "libraria" di Giovanni Sforza a Pesaro, redatto il 21 ottobre 1500 [Camesasca]. Poiché l'effigiata morì l'8 agosto 1490, si può credere che il dipinto fosse anteriore a questa data; ma nulla impedisce di pensare a un ritratto postumo. Non risultano ulteriori accenni al dipinto.

**73**  210×91 1490\*

**SAN SEBASTIANO.** Venezia, Ca' d'Oro.

Sul cartiglio attorcigliato alla candela, in basso a destra, si legge: "NIHIL NISI DIVINVM STABILE EST. COETERA FVMVS". Dopo la morte del maestro, il figlio Ludovico lo ricorda fra le opere rimaste in bottega, assieme ad altre note (n. 57 e 96); e pare fosse destinato al vescovo Ludovico Gonzaga (si veda Documentazione, 1506). Appartenne poi al cardinale Bembo, in Padova, dai cui eredi fu ceduto ai Gradenigo di Venezia; quindi pervenne agli Scarpa di Motta di Livenza, presso i quali fu acquistato dal Franchetti, che lo donò alla sede attuale. Per lo più viene assegnato all'estrema attività del Mantegna, e il Pallucchini [1946] precisa: fine del '400; secondo la Tietze-Conrat sarebbe alquanto anteriore, prossimo cioè ai Trionfi di Cesare (n. 63); il Camesasca — segnalando un'estesa ripassatura generale (forse a opera d'un figlio del maestro, oltre a una parziale, riguardante l'aggiunta del drappo, in corrispondenza dei peli inguinali) — rileva la difficoltà del giudizio; lo studioso accoglie tuttavia il 1490 per il compimento dell'opera, che — a suo parere — potrebbe essere stata impostata vari anni prima.

**74**  30,5×18 \*1490\*

**GIUDITTA.** Washington, National Gallery (Widener).

Sul tergo reca la scritta: "An. Mantegna". Un piccolo dipinto dello stesso tema risultava a Firenze fra i beni di Lorenzo il Magnifico (1492). Nel catalogo delle opere artistiche di Carlo I d'Inghilterra, redatto da A. Vanderdoort, si trova menzione d'una Giuditta, attribuita a Raffaello e ceduta a lord Pembroke in cambio d'un Parmigianino; e a Wilton House, appunto presso i Pembroke, il Cavalcaselle e il Kristeller videro l'opera in esame (già identificata dal Passavant [Tour of a German Artist in England, 1836] con la suddetta), peraltro respingendone il riferimento al Mantegna, avanzato dal Waagen, e spostandolo a tardi imitatori. Il dipinto appartenne poi a K. Hamilton di Great Neck e a J. E. Widener di Filadelfia. Oltre al Kristeller, il Borenius [in Crowe e Cavalcaselle], il Berenson [1896] e la Cruttwell [1901] negarono l'autografia del maestro; ma poi, in seguito a ripensamenti del Berenson stesso ["AA" 1918], venne accolta dalla maggior parte della critica, riferendola all'attività più inoltrata [Fiocco]. Fanno eccezione R. Schwabe ["BM" 1927] e la Tietze-Conrat, per la quale trattasi di un'ideazione del Mantegna o della sua cerchia immediata (come prova pure una stampa di Zoan Andrea all'Albertina), tradotta da altri.

**75**  46×36 1490\*

**GIUDITTA.** Dublino, National Gallery of Ireland.

La composizione, a monocromo, su fondo grigio marmoreo con intrusioni ocracee, è praticamente uguale a quella dello stesso tema di Montreal (n. 76), oltre che a quella, in controparte, d'una incisione di Zoan Andrea. Proviene dalla collezione Malcolm di Pollallock. Per il Duncan ["BM" 1906] fa parte d'una serie illustrante donne famose e famigerate. Secondo Berenson [1910], Schwabe ["BM" 1927], Fiocco, del maestro quantunque di scarse qualità; Paccagnini e Camesasca la considerano in gran parte autografa; la Tietze-Conrat vi riconosce senz'altro un'ideazione del maestro verso il 1490, ma non si pronunzia sulla stesura (che tuttavia le sembra assai superiore a quella del dipinto di Montreal); A. Venturi — seguito dalla Cipriani — la relega fra le opere di bottega.

**76**  64×30'

**GIUDITTA.** Montreal, Art Association.

Monocromo con lumeggiature giallo-oro, su fondo simulante marmo grigio. Il tema è identico a quello dei due dipinti di Washington e Dublino (n. 74 e 75) e di varie opere grafiche del Mantegna e della sua cerchia immediata. Come il pendant con Didone (n. 77) proviene dalla raccolta di J. E. Taylor a Londra. Il collegamento dei due dipinti con 'voci' nell'inventario dello Studiolo di Isabella d'Este (1542), avanzato dal Kristeller, non risulta sicuro. Del resto lo stesso studioso li considera di bottega, concordi la Tietze-Conrat, il Paccagnini e altri. Autografi, invece, per il Berenson, il Fiocco e il Cipriani; quest'ultima, accostando la tela di Montreal alla stessa composizione nella cappella mantegnesca in Sant'Andrea di Mantova, postulava appunto la superiorità della prima in quanto a ideazione e

73

74

75

76

77

114

mente nel Metropolitan Museum di New York. Casomai è da ricordare la copia all'acquerello eseguita da Manet e da lui donata a Zola, ora del Louvre.

stesura, ma tale superiorità non appare per nulla evidente: anzi, sembra di potersi asserire il contrario. Mancano referti sulla tecnica pittorica.

## 77 ⊞ ⊗ 64×30 ▤ :

**DIDONE. Montreal, Art Association.**

La regina cartaginese è raffigurata accanto alla pira destinata al suo rogo. Per ogni altro ragguaglio, si veda il n. 76.

## 78 ⊞ ⊗ 40,8×34 / 1490-1500 ▤ :

**MUZIO SCEVOLA. Monaco, Staatliche Graphische Sammlung.**

Monocromo bruno-grigio, con forti lumeggiature, su fondo bruno chiaro. Il Michiel vide (1512) un piccolo monocromo di tema identico in casa Zio a Venezia; il Vertue [1757] ne rammenta uno pure nella collezione di Carlo I d'Inghilterra. L'opera in esame proviene comunque dalla collezione di sir Thomas Lawrence. La Tietze-Conrat propone assai attendibilmente di considerarla mutila, e che la parte mancante, con re Porsenna, sia da riconoscersi in "un signor sedente in trono con persone sui lati che lo corteggiano, disegno acquerellato e lumeggiato", ascritto al Mantegna in un inventario dei Gonzaga di Novellara [Campori]. Kristeller, Tietze-Conrat e Paccagnini respingono, per la tela di Monaco, il riferimento diretto al maestro; asserito invece dal Berenson, concordi il Fiocco e il Camesasca, ma con l'ammissione di interventi collaborativi. Questi due ultimi studiosi l'assegnano alla fine del '400. In cattivo stato a causa di parecchie abrasioni e cadute di colore.

*Incisione della cerchia mantegnesca, in rapporto col n. 74.*

*Particolare dell'ornamentazione a fresco della cappella funebre del Mantegna in Sant'Andrea di Mantova (si veda n. 76). Il ciclo fu eseguito dai figli del maestro (dopo la sua morte) e da altri sulla base di ideazioni mantegnesche.*

## 79 ⊞ ⊗ 48,5×36,5 ▤ :

**IL SACRIFICIO DI ISACCO. Vienna, Kunsthistorisches Museum.**

Monocromo simulante figure marmoree su fondo di pietra verde. Assieme al *David* (n. 80) risulta nell'inventario del Palazzo Ducale di Mantova steso nel 1627, con la valutazione di sessanta scudi; poi entrambi compaiono (1659) come opere del Mantegna nella collezione dell'arciduca d'Austria Leopoldo Guglielmo, dalla quale pervennero alla sede odierna. Autografi, secondo Kristeller ["JKS" 1912], Berenson e Oberhammer [1960]; il Fiocco, pur riconoscendovi estesi interventi collaborativi, li crede del Mantegna subito dopo il 1490; per la Tietze-Conrat, della bottega, sia pure su ideazioni grafiche del maestro.

## 80 ⊞ ⊗ 48,5×36,5 ▤ :

**DAVIDE. Vienna, Kunsthistorisches Museum.**

Monocromo come il precedente, ma su fondo simulante una pietra colore oro antico. Per il resto, vale il commento all'opera precedente (n. 79).

## 81 ⊞ ⊗ *1481-94* ▤ :

**Ornamentazioni. Già a Marmirolo (Mantova), Castello.**

Fin dall'aprile 1481 (si veda *Documentazione*) il Mantegna si

*Disegno (penna e carbone; mm. 350×200; Washington, National Gallery), in rapporto col n. 76.*

**78**

**79**

**80**

recava a Marmirolo per i lavori in corso nella residenza dei Gonzaga, di cui non sussistono che pochi ruderi. Da alcune lettere dirette al signore di Mantova tra il 1491 e il '94 risulta che nel castello lavoravano, sotto la direzione del maestro, suo figlio Francesco, F. Bonsignori, e tali Benesella e Tondo; l'équipe era allora occupata nelle sale "dei Cavalli", "del Mappamondo", "delle Città" e in una detta "Greca". In quest'ultima si stavano eseguendo figurazioni relative a Costantinopoli, Adrianopoli, Gallipoli, Valona, Rodi (si trattava dell'assedio postovi dai turchi) e a un tema non chiaramente espresso, ma pure concernente i turchi, sopra il quale andava posta (1494) la scritta: "ET BACHANÁLIA VIVVNT". Verosimilmente a detto locale si riferisce la notizia che il Tondo aveva eseguito "certe figure [di] femine turche che vano al bagno et altre figure che assedeno [siedono] alla moschea"; e quella riguardante "la testa dello ambassator [ambasciatore] del Turco" espressa dal Bonsignori. Si sa inoltre che Francesco Mantegna, forse per una di tali "storie", aveva eseguito un'effigie del re di Francia che lasciò scontento il committente. Ancora, i documenti accennano a un "quadro" del Tondo stesso, che potrebbe essere un affresco; e a un "quadro de Brexa [Brescia]", a evidenza per la sala "delle Città". Infine, fin dal '91, si stavano per eseguire alcuni "Trionfi" su tela, "secondo [che] à facto m. Andrea Mantegna": ciò che dà adito a supporre una replica del *Trionfo di Cesare* o dei *Trionfi del Petrarca* (n. 63 e 90), pur senza che sia da escludere un'ideazione diversa, per la quale il maestro aveva approntato i disegni.

## 82 ⊞ ⊗ 1493 ▤ °°

**RITRATTO DI ISABELLA D'ESTE GONZAGA.**

Nel gennaio 1493 il Mantegna ne riceveva l'incarico, e il dipinto era destinato a ricambiare il ritratto della contessa dell'Acerra, avuto in dono dalla marchesa Isabella. Il 20 aprile dello stesso anno quest'ultima scriveva alla contessa, scusandosi di non aver ancora provveduto all'invio perché il pittore non era riuscito a conseguire una somiglianza soddisfacente: ciò che la costringeva a provare con un altro artista (che poi fu Giovanni Santi, il

padre di Raffaello). Il Luzio [1913] escluse che il primo ritrattista — non nominato nella lettera di Isabella — fosse il Mantegna; d'altronde — nota la Tietze-Conrat — se, come sembra, la marchesa non appare nella *Madonna della Vittoria* (n. 93), si può davvero supporre che l'assenza sia da collegare alla sua insoddisfazione nei confronti del lavoro in argomento.

**83**

## 83 ⊞ ⊗ 53×43 / 1493 ▤ °

**IL REDENTORE BENEDICENTE. Correggio, Congregazione di Carità.**

Lungo il bordo di sinistra reca la scritta verticale (solitamente trascritta dagli studiosi in modo errato): "MOMORDITE VOSMET IPSOS ANTE EFIGIEM VVLTVS MEI" (Straziate voi stessi [Straziatevi anche voi] davanti all'effigie del mio volto); più in basso, sotto un'altra scritta visibile sulla copertina del libro, si decifra: "... JA P.C.S.D.D. MCCCCLXXXXIII-DVJA", che il Frizzoni ["L" 1916] interpretava: "[Mantin]IA P[inxit] C[um] S[uis] [oppure: C(haritate) S(ua)] D[ono] D[edit] [oppure: D(omino) D(icavit)] 1493 D[ie] V [quinto] JA[nuarii]". L'opera appartenne alla Galleria Campori di Modena, pervenutavi (1915) dall'Opera Pia di Correggio. Il riferimento al maestro trovò concordi gran parte degli studiosi successivi; tuttavia il Berenson la passa sotto silenzio, e la Tietze-Conrat appare piuttosto dubbiosa. Un recente restauro (1959) ha rimosso vecchie ripassature; ma purtroppo il sottile velo di colore palesa una precedente spulitura.

**84**

## 84 ⊞ ⊕ 75,5×61,5 *1495* ▤ ⁝

**SACRA CONVERSAZIONE.
Dresda, Staatliche Gemäldegalerie.**

Incerta l'identificazione dei due santi dietro alla Madonna con il Bambino e san Giovannino: per il Kristeller sono Giuseppe ed Elisabetta; secondo altri, Gioacchino e Anna. Il piccolo Battista (per cui la Cipriani rileva l'affinità coi modi di Leonardo) reca attorcigliato al braccio un cartiglio con la scritta: "... CE AGNVS DEI ...". Forse da riconoscere in "una Madonna con il Bambino in seno e due santi a lato con san Giovanni, in mezze figure", menzionata dal Ridolfi [1648] presso Bernardo Giunti a Venezia. Comunque si sa di sicuro che appartenne a sir Charles Eastlake di Londra. Cavalcaselle, Yriarte e altri credono possa trattarsi del quadro eseguito per Eleonora d'Este nel 1485, più concordemente identificato

85

con la *Madonna* di Brera (si veda n. 62); il Paccagnini prospetta invece che sia una delle operette che i Gonzaga inviavano in dono ad amici, come risulta da una lettera del 1491. Tuttavia viene per lo più ascritta agli anni fra il 1495 e il 1500, considerandola una delle migliori composizioni ideate dal maestro in quel periodo; e, secondo la Tietze-Conrat, il Bambino sarebbe una variante di quello espresso nella *Madonna della Vittoria* (n. 93).

## 85 ⊞ ⊕ 71×50,5 *1495*? ▤ ⁝

**SACRA FAMIGLIA E SAN GIOVANNINO (Imperator Mundi). Londra, National Gallery.**

Sul consueto fondo di agrumi, il Bambino appare in veste di signore dell'universo, con in mano il globo, oltre al ramoscello d'olivo; dietro di lui, san Giovannino, recante un lungo cartiglio coi resti della scritta: "... DEI", san Giuseppe, e la Madonna apparentemente in atto di cucire. Secondo il Kristeller, il parapetto semicircolare di pietra, comprendente la Madonna, sarebbe il pozzo mistico ("fons signatus") nell'"hortus conclusus" del *Cantico dei cantici*; ma giustamente il Davies [1951] adduce l'inopportunità di raffigurare la Vergine in un pozzo. Il Kurz [1910] pensa che l'aspetto originario della composizione (almeno per ciò che riguarda il 'pozzo') sia rispecchiato dalla versione nel Petit Palais di Parigi (peraltro infondatamente ascritta al Mantegna stesso). Nel 1856 si trovava nella collezione del cavalier Andrea Monga di Vero-

na, donde (1885) passò a J. P. Richter, che la cedette a L. Mond, dal quale giunse per legato al museo. Il tradizionale riferimento al Mantegna trova concordi, con altri, il Davies e la Cipriani; per la Tietze-Conrat, soltanto l'idea spetta al maestro: e, a causa del cattivo stato di conservazione, non sembra il caso di andar oltre con le ammissioni. Nel 1930 venne liberata da estese ridipinture eseguite dal Colnaghi (il quale, fra l'altro, aveva posto un libro in mano a Maria); nuovi restauri furono condotti nel 1946-48.

## 86 ⊞ ⊕ 46,5×37 1495* ▤ ⁝

**IL GIUDIZIO DI SALOMONE. Parigi, Louvre.**

Monocromo simulante un rilievo in pietra grigia su fondo marmorizzato ocra vinaceo (non verde rossastro, come asserisce la Tietze-Conrat). Il Camesasca indica le affinità della composizione con quella del *San Cristoforo dinanzi al re*, dipinto da Ansuino, o altri, nella cappella Ovetari (si veda, qui, a pag. 88). Forse da identificare col dipinto menzionato in un inventario dei beni artistici del vescovo Coccapani di Reggio Emilia, assieme a un disegno dello stesso tema [Campori]. Il tradizionale riferimento al maestro venne respinto dal Berenson [1901], poi accolto dallo stesso, collegando l'opera alla vecchiaia del Mantegna. Kristeller e Fiocco rilevano interventi collaborativi; in grado minore, Paccagnini e Camesasca; invece per la Tietze-

*Copia dipinta, con varianti, del n. 85 (Parigi, Petit Palais).*

88

Conrat fu eseguito dagli aiuti, su disegno del maestro; secondo la Cipriani va escluso dal *corpus* diretto. Concorde il collegamento al 1495 circa. Il Camesasca pensa che il fondo possa essere stato completamente ridipinto.

## 87 ⊞ ⊕ 168×146 *1495*? ▤ ⁝

**OCCASIO ET POENITENTIA. Mantova, Palazzo Ducale.**

Già in palazzo Biondi di Mantova, dove decorava la parte superiore d'un caminetto. L'allegoria diede luogo a varie interpretazioni da parte di van Marle [*Iconographie de l'art profane*, II], Warburg [*Gesammelte Schriften*, I] e Wittkower ["JWCI" 1937-38]. Per lo più assegnata alla scuola, in particolare ad Antonio da Pavia [Kristeller]; tuttavia l'ideazione, assai bella, sembra risalire al maestro, che non poté condurre a termine la stesura, onde ipotizza il Fiocco (forse qualche traccia della sua mano è riscontrabile nella testa del penitente, comunque sommersa da gravi ripassature), o neppure la iniziò, secondo l'opinione del Paccagnini. L'affresco fu trasferito su tela.

## 88 ⊞ ⊕ 61,5×87,5 1495* ▤ ⁝

**MADONNA CON IL BAMBINO, SAN GIOVANNINO E CINQUE ALTRI SANTI. Torino, Pinacoteca Sabauda.**

L'ultima santa a destra è identificabile in Caterina d'Alessandria, a causa della ruota. Proviene dal Palazzo Reale di Torino. Secondo il Kristeller, seguito da altri critici, spetta alla bottega; ma già il Cavalcaselle la giudicava del maestro, pur riscontrandovi qualche intervento del Caroto; e il collegamento diretto al Mantegna è attualmente assai accreditato [da Fiocco; fino a Paccagnini; Camesasca; ecc.]. Concordemente riferita all'attività tarda, tranne che da parte del Fiocco. Depressa da estesi restauri, in gran parte eliminati nel corso della recente pulitura, la zona superiore a sinistra risulta interamente rifatta.

## 89 ⊞ ⊕ ___ *1500* ▤ ○○

**GEORGES D'AMBOISE, CARDINALE DI ROUEN, CHE VENERA IL BATTISTA.**

Il dipinto, indicato come opera del Mantegna, costituì (1500) un dono della marchesa Isabel-

86

87

la Gonzaga al presule effigiato; il quale, ringraziandola, ne elogiava l'autore. La Tietze-Conrat pensa che le sembianze del cardinale fossero state desunte forse da una medaglia, riprodotta anche in una *boiserie* del Metropolitan Museum di New York ["AQ" 1945].

## 90 ⊞ ⊕ ___ *1501* ▤ ○○

**I TRIONFI DEL PETRARCA.**

Dalla descrizione d'uno spettacolo teatrale allestito a Mantova nel 1501, contenuta in una lettera del Cantelmo [D'Ancona, *Origini ...*, II, 1891], risulta che il palcoscenico era decorato con il *Trionfo di Cesare* (n. 63); il proscenio, con una serie di Trionfi dipinti pure dal Mantegna attingendo al Petrarca. Si è proposto più volte di scorgere una testimonianza nelle sei tavolette (cm. 51×53,8), pervenute alla National Gallery (Kress) di Washington dopo essere state esposte per lungo tempo nella Pinacoteca di Monaco, e concordemente riferite alla scuola mantegnesca dalla critica moderna. Secondo A. Venturi, una trasposizione plastica di questi *Trionfi* sarebbe invece da scorgere nei rilievi eburnei di due cassoni nella cattedrale di Graz, che anche il Fiocco è propenso a collegare con ideazioni del maestro, suscitando però forti contrasti negli studiosi recenti.

# I dipinti per lo Studiolo di Isabella d'Este Gonzaga

Anche la marchesa Isabella d'Este Gonzaga, secondo il costume umanistico, volle crearsi un piccolo ambiente per lo studio e la meditazione; il proposito può essere riferito all'incirca verso il 1495. Secondo il Kristeller, il 'programma' dei dipinti che dovevano trovarvi posto venne steso dalla committente assieme ai suoi amici eruditi, in particolare Paride Cesarara; la Tietze-Conrat pone in dubbio l'esistenza di un tale 'programma', notando che in ogni caso le 'invenzioni' dovettero adattarsi alle circostanze e agli estri dei pittori interpellati. Resta comunque che il superstite atto d'allogazione sottoscritto nel 1503 col Perugino contiene una descrizione del tema da svolgere, spinta fino al minimo dettaglio; ed è non meno vero che il Giambellino, interpellato lui pure per una tela della serie (1501), dopo aver tentato invano di garantirsi una piena libertà nell'eseguirla, finì col rinunziarvi (1506). Quantunque in un locale della Reggia di Mantova sussistano le cornici originarie dei dipinti — per le quali il Mantegna fornì qualche suggerimento —, non è nota la loro primitiva distribuzione, poiché lo Studiolo fu più volte trasferito dalla sede primitiva, che era in Castello. È certo in ogni modo che facevano parte del complesso, oltre alle tre opere mantegnesche qui di seguito esaminate, l'*Allegoria* di Lorenzo Costa e la *Lotta fra Amore e Castità* del Perugino, tutte al Louvre di Parigi. La loro vicenda 'esterna' non risulta ancora del tutto chiara pur dopo le precisazioni del Camesasca [*Tutta la pittura del Perugino*, 1959]. I cinque dipinti rimasero nell'appartamento di Isabella anche dopo la morte di lei; nel 1605 furono di sicuro traslocati nell'Appartamento del Paradiso, sempre nella Reggia mantovana; quindi pervennero al cardinale, in un periodo variamente indicato fra il 1624 e il 1652 [Tietze-Conrat] (quando il cardinale era morto da dieci anni!), ma di

sicuro entro il '27; nel castello di Richelieu rimasero fino al 1801, allorché furono destinate al Louvre.

## 91 ⊞ ⊕ 160×192 *1497 ▤ ⦂

### A. IL PARNASO.

Nonostante che il titolo suddetto sia stato costantemente adottato, già in un inventario del Palazzo Ducale di Mantova, redatto nel 1542, si trova un accenno più calzante: "Marte e una Venere che stanno in piacere, con un Vulcano et un Orfeo che suona, con nove Ninphe che balano", dove in effetti non si accenna ad Apollo, la cui presenza sarebbe ovvia in una figurazione del Parnaso. D'altronde, l'identificazione di Orfeo, a sinistra, pare attendibile, giacché casomai Apollo avrebbe dovuto troneggiare in mezzo alle muse. Che d'altra parte il pittore abbia voluto propriamente presentare le muse, oltre che dal loro numero di

91 A [Tav. LXII-LXIII]

nove, sembra comprovato dalle montagne crollanti (in alto, a sinistra), secondo la tradizione che il loro canto determinava eruzioni vulcaniche, alle quali poi metteva termine Pegaso battendo il suolo con lo zoccolo [Wind, "AB" 1949]; e il cavallo alato si scorge, a destra, nell'atto di scalpitare, accanto a Mercurio, noto per la protezione fornita, con Apollo, alla tresca di Venere e Marte. Vulcano, il legittimo consorte della dea fedifraga, si scorge a sinistra, all'imbocco dell'antro-fucina, dove sono in mostra gli arnesi del suo mestiere di fabbro; inutile commentare il gesto del dio, rivolto agli amanti, sulla rupe, dinanzi a un inequivocabile letto. Esistono nondimeno forti divari circa l'interpretazione del tema. Il Förster ["JPK" 1901] scorgeva disapprovazione da parte delle ninfe nei confronti dell'unione illegittima di Venere e Marte; ma la Tietze-Conrat ["JKS" 1917], adducendo l'epitalamio dettato nel 1487 da A. M. Salimbeni per la sorella d'Isabella Gonzaga, oppose che tale legame non veniva per nulla disapprovato dagli eruditi della corte di Mantova. Il Wind formulò una complicatissima interpretazione del dipinto, in rapporto con Omero, le cui opere circolavano fin dal 1488, tradotte da umanisti come Lorenzo Valla e Raffaele da Volterra; l'esegeta crede però che il tono della fonte greca sia stato inteso qui come una sorta di "eroismo burlesco"; e, non senza forzare gli atteggiamenti delle danzatrici, vi ravvisa un significato pornografico: ciò che viene vigorosamente rifiutato dalla Tietze-Conrat, poiché in tutta la letteratura classica e rinascimentale non risulta alcun accenno alla frivolezza delle muse. Quanto agli aspetti estetico-filologici, il Fiocco — seguito dal Paccagnini — individuò nell'opera precedenti delle scoperte cromatiche attuate a Venezia nel primo '500 e della visione olimpica di Raffaello; inoltre propose un confronto fra la Venere del Mantegna e quella sorgente dalle acque del Botticelli, nel dipinto degli Uffizi (si veda 'Classici dell'Arte - 5', n. 72); ma va almeno tenuto conto del ventennio d'anticipo con cui il toscano eseguì la propria 'mito-

logia'. Anche il Gilbert rileva la sensibilità dell'ambientazione paesistica, avvertendone la mancanza di riscontri negli altri lavori del Mantegna; il fatto si può spiegare con la straordinaria accuratezza dell'esecuzione, che per la Cipriani evita all'opera di ridursi a una stucchevole rassegna di "atteg-

Disegni (rispettivamente a Monaco, Graphische Sammlung, e a Berlino, Kupferstichkabinett) variamente messi in rapporto con il dipinto n. 91.

*I Trionfi del Petrarca a Washington (n. 90): (dall'alto e da sinistra) l'Amore, la Castità, la Morte, la Gloria, il Tempo e Dio Padre (o l'Eternità); tale successione (non suggerita da alcun elemento figurale) è quella stessa del testo petrarchescc.*

**91 B** [Tav. LXIV]

**91 C**

giamenti vaghi e ricercati"; o, meglio, alla eventualità di estesi rifacimenti: a uno dei quali — indicato con certezza dal Camesasca — si deve l'insolita leggerezza delle muse, derivata dall'erronea ubicazione del loro piano di posa da parte, appunto, di un restauratore. Concorde l'ammissione dell'autografia e della priorità rispetto ad altri 'pezzi' della serie.

Due importanti disegni si collegano al dipinto, entrambi caratterizzati dall'esatta corrispondenza delle figure con quelle del dipinto (la prima e la quarta musa, da destra), oltre che dalla tecnica: penna e acquerello con lumeggiature bianche. L'uno (Monaco, Staatliche Graphische Sammlung), già considerato copia di bottega da Morelli [1880] e Kristeller, fu poi riconosciuto originale da Berenson [1900-01], Clark [1930] e Popham [1931]; di nuovo respinto, da Fiocco e Tietze-Conrat, e quindi accolto da Degenhart [1958], ritenendo che il maestro stesso l'abbia ritagliato dal cartone complessivo del dipinto per utilizzarlo nello spolvero (i contorni della figura sono in effetti parzialmente bucherellati), Möhle [1959] e Mezzetti; il Ragghianti [1962], invece, ne ribadisce il riferimento

a qualche seguace. L'altro disegno (Berlino, Kupferstichkabinett; pervenuto dalla collezione A. von Beckerath della stessa città), sconosciuto agli studiosi 'classici' del Mantegna, venne assimilato al precedente — come origine e qualità — da parte di Degenhart, Möhle e Mezzetti; il Möhle stesso accennò ai ritocchi che vi si scorgono, riferendoli al maestro, mentre il Camesasca ci suggerisce che siano posteriori.

## 91   160×192 *1504*
### B. IL TRIONFO DELLA VIRTÙ.

L'identificazione del tema si deve al Förster ["JPK" 1901]: Minerva scaccia Venere e i Vizi dal giardino della Virtù, come indicato nel lungo cartiglio attorto alla Mater Virtutum (a sinistra), prigioniera in un olivo e invocante le Virtù cardinali (visibili in cielo, a destra, in una nicchia di nuvole). Meno chiaro perché si scorgano, a sinistra, rocce che rovinano assumendo sembianze mostruose, e perché le nubi abbiano fattezze umane; inoltre il colore della montagna, riproducente quello delle Dolomiti, subito sopra la verzura presenta una striscia più cupa, inspie-

gabile a meno di collegarla a una ripassatura. Le fonti letterarie vengono indicate nella Hypnerotomachia Poliphili (Venezia 1472) e nel De genealogia deorum gentilium del Boccaccio. Pressoché concordi l'ammissione che sia il secondo 'pezzo' della serie, e il riferimento al 1502 circa. Antologia dei più consueti motivi mantegneschi, riuniti forse per sopperire alla mancanza d'ispirazione: le figure si articolano impacciate e il loro ritmo si esaurisce nello scorcio alla Bosch, "ansioso di occupare il vertice prestabilito entro lo schema a triangolo del primo piano"; inerte la massa vegetale, la cui stesura può spettare alla bottega; invece, smagliante il cielo, già "presago dei lirismi eroico-sentimentali dell'Altdorfer" [Camesasca].

## 91   160×238 *1505*
### C. IL MITO DEL DIO COMO.

Terzo 'pezzo' della serie. Venne iniziato dal Mantegna e condotto a termine, dopo la sua morte, da Lorenzo Costa. Da una lettera diretta dal Calandra alla marchesa Isabella (15 luglio 1506) risultano eseguiti da maestro Andrea le figure di Como, dio della gioia, in trono fra

amori e due "Veneri", l'una ignuda e l'altra drappeggiata, a sinistra; e, al di là della porta, sull'altro lato (ma l'indicazione appare incerta), tre personaggi dichiarati in atto di volare. La scritta "Comes" sulla porta stessa e gli elementi simbolici della composizione furono studiati dal Wind [Bellini's Feast of the Gods, 1948] e dalla Tietze-Conrat, che giunsero a risultati contrastanti. Parrebbe comunque trattarsi d'una presentazione del dio Como in rapporto con le nozze di Bacco e Arianna; ma le incertezze riguardano l'identificazione stessa dei protagonisti. Per concorde ammissione riesce impossibile riconoscere le parti dovute al Mantegna: sia perché il Costa può avere ripreso tutta la superficie (forse alterandone anche l'impianto compositivo), sia perché il Mantegna poté dipingere con l'intento di adeguarsi al Perugino, modificando sensibilmente il proprio linguaggio.

## 92   54×42 *1495-1500
### ECCE HOMO. Parigi, Musée Jacquemart-André.

Ai due cartigli in alto si potrebbe conferire il valore di 'fumetti', come traduzione grafica delle urla lanciate dalla folla contro Cristo. Nei personaggi ai lati del Redentore (solitamente creduti due; ma, in effetti, almeno quattro), di cui il primo a sinistra reca in capo una scritta ebraica, furono variamente intesi come sgherri o come personificazioni della Sinagoga e della Gentilità. Secondo il Fiocco pervenne dall'antiquario Bardini di Firenze. Il riferimento alla scuola fu pressoché concorde [fino a Tietze-Conrat; ecc.]: per il Kristeller, prossimo a Liberale da Verona; per A. Venturi, di Francesco Mantegna. La Cipriani rileva giustamente una "qualità assai alta e vicinissima al fare di Andrea sulla fine del secolo". La pulitura sarebbe raccomandabile per un giudizio più sicuro.

## 93   280×160 1496
### SACRA CONVERSAZIONE (Madonna della Vittoria). Parigi, Louvre.

Dal trono, la Madonna — col Bambino in braccio e il piccolo Battista a destra (con la crocetta e il cartiglio recante la scritta tradizionale) — si rivolge benedicente al marchese Francesco Gonzaga, inginocchiato a sinistra; alle spalle di questo, i santi Michele e Andrea; cui corrispondono, sull'altro lato, i santi Longino e Giorgio (con la lancia spezzata, come nel dipinto di Venezia [n. 41]); dinanzi a loro, una donna in ginocchio, che il Vasari identifica come santa Elisabetta, altri come sant'Anna, mentre studiosi moderni vi ravvisano la marchesa Isabella (che, a parte la piccola aureola, sarebbe però troppo invecchiata) oppure certa Osanna, allora vivente a Mantova in odore di santità. Nello zoccolo del trono, il rosoncino reca una scritta con l'alleluia alla Madonna; sotto, il rilievo del basamento raffigura il Peccato originale, con riferimento all'opera redentrice di Cristo; si vuole [Tietze-Conrat] che un concetto analogo

si colleghi al ramoscello di corallo pendente dall'alto, la cui funzione sarebbe andata ben oltre il normale scongiuro, concernendo anche i "diabolica varia monstra", come testimonia Bartolomeo Angelico [in Ripa, Nuova iconologia, 1618]. La pala venne offerta dallo stesso marchese alla cappella della Vittoria in Mantova, quale ex voto per la precaria vittoria da lui riportata sui francesi a Fornovo il 6 luglio 1495. Le cause della donazione vennero ampiamente documentate dal Portioli ["GEA" 1873; "AAV" 1882-83] e dal Luzio ["E" 1899]. Risulta che l'israelita Daniele de Norsa aveva acquistato (1493) in Mantova una casa in cui trovavasi una Madonna e santi a fresco; la rimozione del dipinto — quantunque autorizzata dalle locali autorità ecclesiastiche, facenti capo al vicario Sigismondo Gonzaga — suscitò disordini, conclusisi con un'ammenda di centodieci ducati, inflitta al de Norsa. Con questa somma si risolse di far dipingere al Mantegna un nuovo dipinto destinato alla cappella suddetta, di recente costruzione. Il progetto iniziale concerneva una Madonna della Misericordia, sotto il cui manto si sarebbero dovuti trovare il marchese vittorioso coi fratelli, da un lato, e la sua consorte dall'altro. Qualche settimana dopo si stabiliva che i santi Giorgio e Michele (cui poi si aggiunsero Andrea e Longino) avrebbero retto il manto della Vergine. Il Wind [Bellini's Feast of the Gods, 1948] asserisce che la pala venne impostata secondo i desideri della marchesa Isabella; ma casomai sarà da spiegare perché proprio essa non vi sia presentata, come sembra: peraltro la Tietze-Conrat collega l'esclusione al 'fallimento' del Mantegna nell'effigiare la propria patrona (si veda n. 82). Nel primo anniversario dello scontro di Fornovo (6 luglio 1496) il dipinto fu solennemente portato nella sede

**92**

destinatagli (secondo il Vasari, eretta dal Mantegna stesso; per il Luzio, da B. Ghisolfi), suscitando indescrivibili entusiasmi. L'opera rimase in loco finché i francesi non la trasferirono a Parigi (1797) col bottino napoleonico. Secondo la Tietze-Conrat, il gesto della Madonna deriverebbe dalla Vergine delle rocce di Leonardo, pure al Louvre, e sarebbe stato esemplare per il Correggio, così come il pergolato. Quest'ultimo, per le sue aperture sul cielo, rifletterebbe soluzioni già adottate dal maestro nella cappella romana di Innocenzo VIII (n. 65) [Paccagnini]. Nel complesso, l'opera, che già il Lanzi esaltava per la pastosità del disegno, preluderebbe [Id.] "alla libertà pittorica delle pale d'altare del '500", testimoniando "la straordinaria facoltà di rinnovamento" del Mantegna. Il Cavalcaselle vi riscontrava invece sproporzioni nell'impianto delle figure e durezze nella stesura, a suo dire da riferirsi a qualche collaboratore; le riserve — sia pure rivolte alla inarticolata rigidità dello schema compositivo, alla proterva ricerca di simmetrie e calcolate disimmetrie, allo squilibrio fra la luce e il lussureggiare delle frutta e dei pappagalli sul pergolato — vengono condivise da studiosi recenti [Longhi, 1962; ecc.]. Tuttavia il Camesasca avverte come questa "colossale miniatura", questa "gran macchina" che "non convince più", potesse forse trova-

*Disegno (in bianco su carta scura; cm. 273×166) variamente collegato al dipinto n. 93.*

re una giustificazione nel contesto dell'ambiente originario, specie se questo venne ideato dal Mantegna stesso, che — a sentire il Bettinelli [*Delle lettere ... mantovane*, 1774] — di sicuro disegnò la cornice, andata in seguito dispersa. In buono stato di conservazione.

Nel Palazzo Ducale di Mantova si conserva un disegno eseguito a pennello, in bianco, su carta scura, di uguali dimensioni (salvo una riduzione in basso, per cui misura cm. 273×166), che riproduce esattamente la composizione del Louvre. L'Ozzola ["CI" 1942] lo pubblicò come cartone autografo, forse eseguito per venire sottoposto al committente, che si trovava a Venezia. Il Fiocco ["RA" 1941; e "BM" 1949] lo definì invece un calco, eseguito quando la pala fu traslocata a Parigi. La Tietze-Conrat, pur non riuscendo a spiegarne il mancato impiego (in seguito al quale lo si sarebbe dovuto bucherellare per il trasporto, causando una distruzione quasi certa), ne ribadisce la funzione di lavoro preparatorio. La Cipriani e il Camesasca concordano col Fiocco.

94 [Tav. LV-LVI]

**94** ⊞ ⊗ 287×214 / 1497 ▤ ⦂

**SACRA CONVERSAZIONE (Madonna Trivulzio).** Milano, Museo del Castello Sforzesco.

Sul foglio in mano d'uno dei tre cantori, in basso, si trovano la firma e la data: "A. Mantinea pi. an. gracie 1497 15 augusti". Altra scritta, relativa al Precursore, sul cartiglio attorno all'albero di agrumi, a sinistra. L'identificazione dei personaggi non è sicura; comunque, oltre alla Madonna col Bambino fra cherubini, si sogliono riconoscere: il Battista e san Gregorio Magno, san Benedetto e san Gerolamo; in basso, gli accennati tre angeli che cantano. In origine era sull'altar maggiore di Santa Maria in Organo a Verona (il modello recato da san Gerolamo sarebbe appunto quello ligneo di questa chiesa [Mellini - Quintavalle]), per la quale fu dipinta (come risulta, indirettamente, da una lettera scritta nel 1496 [si veda *Documentazione*] dai monaci della chiesa stessa); passò poi alla collezione Trivulzio di Milano, con la quale pervenne alla sede attuale. Secondo la Tietze-Conrat, l'atteggiamento del Battista richiama una figura incisa dallo Schongauer [Bartsch, n. 54], che il Mantegna poté conoscere. Di recente la pala fu pulita e restaurata dal Pellicioli, rivelando, assieme all'"acre registro di contrappunti cui è costretta ïa tempera secchissima"

93 [Tav. LII-LIII]

[Cipriani], anche taluni passaggi cromatici alquanto dolciastri (nel viso della Madonna, ecc.).

**95** ⊞ ⊗ 47×37 / *1495* ▤ ⦂

**DALILA E SANSONE.** Londra, National Gallery.

Monocromo simulante un rilievo marmoreo su fondo di pietra ocra, rossa e nera. Sul tronco si legge: "FOEMINA / DIABOLO TRIBVS / ASSIBVS EST / MALA PEIOR", una locuzione già in uso nel Medioevo, accolta soprattutto da testi magici, e che qui avrebbe un satirico commento nel contrasto fra la vite attorta sull'albero e l'acqua della fonte [Tietze-Conrat]. La figurazione fissa, secondo la consuetudine, il momento in cui Dalila taglia i

95 [Tav. LVII]

capelli dell'ercole israelita immerso nel sonno. Pervenuto alla sede odierna nel 1883, attraverso la vendita Sutherland (cfr. inoltre Davies [1951]). Soltanto il Knapp avanzò dubbi sull'autografia; il resto della critica concorda sul riferimento al maestro nell'ultimo periodo, talora precisando la data 1495 circa, che il Camesasca tende ad anticipare di qualche anno. Per la Cipriani e il Camesasca stesso costituisce il "pezzo" più elevato nella serie dei monocromi di dimensioni pressoché uguali, a Dublino, Vienna e Parigi.

**96** ⊞ ⊗ 73,5×268 / *1500* ▤ ⦂

**L'INTRODUZIONE DEL CULTO DI CIBELE IN ROMA o TRIONFO DI SCIPIONE.** Londra, National Gallery.

Monocromo bruno simulante un rilievo su fondo variegato. Sullo stendardo, al centro, e sulla mantellina del suonatore, all'estrema destra, si legge: "SPQR"; al sommo delle due tombe, nel fondo, verso sinistra, sono le scritte: "SPQR / GN SCYPIO/NI CORNELI/VS F [ilius] P.[osuit]" e "P SCYPIO-NIS / EX HYSPANIENSI / BELLO / RELIQVIAE"; lungo lo zoccolo del dipinto, infine, si trova l'iscrizione (alquanto ritoccata): "S HOSPES NVMINIS IDAEI C". Quest'ultima si richiama a Cibele, la gran madre degli dèi, il cui simulacro si scorge sul-

96 [Tav. LVIII-LIX]

97

99

la portantina, a sinistra. La composizione si riferisce ad un episodio della guerra punica del 204 a.C.: Annibale era sbarcato in Italia, e nei libri sibillini si era scoperto che, per costringerlo ad andarsene, era necessaria la presenza in Roma del busto della dea conservato a Pergamo; l'oracolo di Delo aveva inoltre decretato che, a riceverlo, fosse l'uomo più degno della città, e venne designato Publio Cornelio Scipione; ancora, in occasione dell'arrivo, la matrona Claudia Quinta poté provare la propria castità, su cui si erano avanzati dubbi (cfr. Livio, *Storia*, XXIX; Ovidio, *Fasti*, IV; ecc.). Cosicché si identifica Claudia con la donna inginocchiata al centro, mentre Cornelio Scipione dovrebbe essere il personaggio alle sue spalle. La presenza di quest'ultimo e gli altri riferimenti ai

Corneli trovano spiegazione nel fatto che l'opera era stata commissionata al Mantegna (1504) dal veneziano Francesco Cornaro, la cui famiglia si considerava discendente appunto dai Corneli. Per dissensi intervenuti riguardo al compenso, l'opera era rimasta presso Francesco Mantegna dopo la morte del maestro; appartenne poi al cardinale Sigismondo Gonzaga; più tardi giunse in palazzo Cornaro a San Polo di Venezia, dove l'acquistò Antonio Sanquirico (entro il 1815); da questi passò poi alla famiglia Vivian, in Inghilterra, che la vendette (1873) al museo. Si deve al Longhi [1927] l'ipotesi che il dipinto fosse destinato a far parte di una serie comprendente pure la *Tucia* e la *Sofonisba* (n. 97 e 98), assieme alla *Continenza di Scipione* dipinta dal Giambellino dopo la morte del

cognato e ora nella Fondazione S. H. Kress di New York. La ricostruzione, accolta dalla Cipriani e altri, viene respinta dalla Tietze-Conrat e implicitamente dal Fiocco, per il quale l'esecuzione risale a subito dopo il ritorno del maestro (1490) da Roma (d'altronde, la lettera diretta dal Bembo a Isabella Gonzaga nel 1505, da cui si è voluto ricavare il 1504 come data d'allogazione del dipinto, dice in realtà che le divergenze sul prezzo fra il pittore e il committente erano occorse "già buon tempo" prima). Il Camesasca, pur così severo nei confronti dell'estrema attività del Mantegna, riscontra qui, così come nella *Tucia* e nella *Sofonisba*, un'elevata qualità, "per la nitidezza dell'impianto compositivo, suasivamente scandito e concluso; per la fattura lucida e puntuale, sollecitata verso un realismo illusorio, ma ampia e di profondo respiro; per il timbro di spettacolosa magnanimità, dove il senso classico interviene quale forza regolatrice della fantasia". Al Davies [1951] si deve un accurato esame tecnico del dipinto, con l'indicazione di numerosi quantunque non estesi danni (specie nel portatore a sinistra, "molto guasto"), oltre che di vari 'pentimenti'; tuttavia non risulta certo allo studioso se il supporto sia tela e quale il modo della stesura; infine, il triangolo a destra in basso (cm. 20,5×15 di lato) sarebbe spurio.

## 97 72,5×23 *1500*

### TUCIA. Londra, National Gallery.

Monocromo a mo' di rilievo marmoreo, su fondo simulante agata. Sul tergo reca la scritta: "Antonio [*sic*] Mantegna" [Davies] (ma altri studiosi riferiscono: "ANDREA MANTEGNA"). Raffigura la vestale Tucia che, accusata di incontinenza, riuscì a trasportare l'acqua del Tevere in un crivello sino al tempio, per dimostrare la propria incolpevolezza. Talora venne intesa come allegoria dell'estate. Secondo il Longhi [1926], contrastato però dalla Tietze-Conrat, in origine faceva parte di una serie comprendente anche la *Sofonisba* e il *Trionfo di Scipione* (si vedano i n. 98 e 96). Passò forse nella vendita Bertles (1775), comunque pervenne alla sede attuale (1882) — assieme alla *Sofonisba* — dalla collezione ducale di palazzo Hamilton, dove la vide il Waagen [1854]. Per Frizzoni [1891] e Morelli [1893], falsa; per il Kristeller e la Tietze-Conrat, di scuola; per il Davies, d'un seguace. A. Venturi ne rivendicava a ragione l'estrema finezza e l'autenticità, seguito da vari studiosi recenti, che la riferiscono all'ultima attività del maestro.

## 98 72,5×23 *1500*

### SOFONISBA. Londra, National Gallery.

La regina è raffigurata nell'atto di bere il veleno per sottrarsi al trasferimento coatto in Roma. Talora considerata allegoria dell'autunno. *Pendant* della *Tucia* (n. 97; si veda), con la quale ebbe in comune la storia 'esterna', attribuzioni, ecc.

## 99 58×48 *1500*

### TARQUINIO E LA SIBILLA. Cincinnati, Art Museum.

Monocromo con lumeggiatura d'oro su fondo bruno. Il titolo suddetto è quello tradizionalmente accolto; ma, secondo il Landsberger ["BCM" 1953], si tratterebbe piuttosto di Ester e Mardocheo. Pervenuto dalla collezione inglese del duca di Buccleuch. Per la maggior parte della critica, autografo tardo; Kristeller e A. Venturi lo considerano di bottega; per la Tietze-Conrat, soltanto l'ideazione è sicuramente del maestro. La studiosa pensa che possa essere stato ridotto sui lati.

## 100 57×42 *1500*

### MADONNA CON IL BAMBINO, DUE SANTI E UNA SANTA. Parigi, Musée Jacquemart-André.

I personaggi laterali non sono riconoscibili con sicurezza. Proviene dalla collezione Reiset. Per il Cavalcaselle potrebbe corrispondere (ma non identificarsi) con la *Madonna* dipinta dal maestro nel 1485 per Eleonora d'Aragona; secondo il Berenson, opera di bottega o malamente ridipinta; autografo dell'ultimo periodo, al dire del Fiocco; d'un seguace, per la Tietze-Conrat, o comunque non autografa, per la Cipriani. Il giudizio risulta gravemente ostacolato dalle cattive condizioni dell'opera.

100

## 101 75×55

### MADONNA CON IL BAMBINO E SANTA MARTIRE. Verona, Museo di Castelvecchio.

La martire è forse da identificare con santa Giuliana. Per il Berenson, copia da esemplare sconosciuto; per il Fiocco, d'un pittore mantegnesco di Verona; la Cipriani la esclude come autografo, senza pronunciarsi; sottaciuta dagli altri critici.

## 102 139×116,5 *1500*

### MADONNA COL BAMBINO FRA I SANTI GIOVANNI BATTISTA E MARIA MADDALENA. Londra, National Gallery.

Sul cartiglio attorno alla croce del Battista si legge: "[ec]CE AGNV[s Dei ec]CE Q[ui tollit pec]CATA M[un]DI"; in alto, pur sul cartiglio, appare la firma: "Andreas Mantinia C.P.F."; di cui le ultime tre lettere vengono per lo più intese: "C[ivis] P[atavinus] F[ecit]", mentre il Davies [1951] non sembra contrario a un'antica interpretazione di: "C[omes] P[alatinus]" ecc., con riferimento al titolo comitale ottenuto dal Mantegna (vedi *Documentazione*, 1490). Entro il 1650 appartenne di sicuro al cardinale Cesare Monti, arcivescovo di Milano, ma che si trovasse fin dal 1610 in

101

102

**103**

**105**

**104**

**106**

**107**

**121**

proprietà della sua casata non sembra certo [cfr. Davies]; nella stessa città fu poi di altre famiglie e da ultimo presso i Roverselli, che (1855) la cedettero al museo. Cavalcaselle, Fiocco, Tietze-Conrat e Camesasca vi scorgono interventi di bottega, cui riferiscono la durezza della stesura, che per la Cipriani sarebbe invece tipica dell'ultimo Mantegna; interamente autografa secondo gli altri studiosi. A. Venturi la considera anteriore alla *Madonna della Vittoria* (n. 93); meglio viene collocata dalla Tietze-Conrat intorno al 1500. Bene la

"Capolavori dei musei veneti" (Venezia, 1946), è valso a rivelare appieno una qualità degna dell'ultimo Mantegna [Pallucchini, 1946; Cipriani; ecc.]. Nell'impianto compositivo, il dipinto appare analogo a opere di Dresda (n. 84), Parigi (n. 100), New York (n. 105).

**104** 🔲 ⊗ 56×41 📋 ⋮

**MADONNA CHE ALLATTA IL BAMBINO. Washington, National Gallery (Kress).**

Proviene dalle collezioni Barrymore di Marbury Hall e S. H. Kress di New York. Resa nota

dal Monod ["GBA" 1910] come opera di scuola; poi ascritta alla vecchiaia del Mantegna da Fiocco, Berenson, Richter ["A" 1939], Suida ["PA" 1940] ecc. Il Ricci [*Correggio*, 1930] avanzò, assai più attendibilmente, il riferimento al Correggio giovane, sotto l'ascendente del Mantegna, e l'attribuzione trovò concordi Longhi [comunicazione privata, 1938], Richter [*id.*] e Suida [*id.*] (che poi, s'è visto, mutò parere) e vari altri studiosi sia del pittore veneto sia di quello emiliano. La Tietze-Conrat pensa invece che spetti a un ignoto mantegnesco.

**105** 🔲 ⊗ 57×45,5 📋 ⋮
*1500*?

**SACRA FAMIGLIA E UNA SANTA. New York, Metropolitan Museum.**

La santa viene talora identificata con Maria Maddalena. Da Pietro d'Aiuti fu ceduta alla collezione Weber di Amburgo, donde pervenne (1913) a B. Altman, che la cedette al museo. L'attribuzione al maestro verso il 1495 fu proposta dal Bode ["K" 1904], concordi il Woermann, il de Ricci ["LA" 1912] (che avanzò l'identificazione con una tela citata dal Boschini [*Ricche minere*, 1674] agli Incurabili di Venezia), il Berenson e il Fiocco; fu invece prontamente respinta dal Knapp e da A. Venturi, il quale pen-

sa semmai a Francesco Mantegna; ciò che sembra convenire alla Cipriani e che, del resto, pare attendibile.

**106** 🔲 ⊗ 54,5×71 📋 ⋮
1500-05*?

**L'ADORAZIONE DEI MAGI. Northampton, Collezione del marchese di Northampton.**

Composizione nota attraverso almeno otto versioni [cfr. Kristeller], di cui questa è la migliore (si veda anche qui sotso). Per il Kristeller, autografo anteriore al 1457; per il Berenson, autografo tardo; il Fiocco e il Tietze-Conrat non escludono che possa spettare al maestro; respinta invece — almeno come stesura — dal Knapp; secondo A. Venturi — parzialmente concorde la Cipriani — spetta a Francesco Mantegna.

Fra le varie edizioni del dipinto merita un particolare cenno quella (tela, cm. 50,9×68,3) nella collezione J. G. Johnson di Filadelfia, pubblicata da R. Fry ["BM" 1905] come autografa; poi più rettamente dichiarata copia [cfr. Catalogo della collezione, 1941]. Fu pure resa nota come autentica ["L" 1941] — e presentata quale ritratto dal vivo del tempo del *Cristo braidense* (n. 57) — una copia limitata alla testa del re moro (tela, cm. 39×28; Milano [?], proprietà privata), che la Tietze-Conrat — senza esprimersi sull'autografia — collegava a qualche *Adorazione dei Magi*, e che la Cipriani definisce "brutta copia". Altra riedizione parziale, della sola Madonna col Bambino, pervenne dalla collezione Brivio alla Pinacoteca Ambrosiana di Milano, pure col riferimento al maestro, per lo più ignorato dalla critica, e che sembra da escludere.

**107** 🔲 ⊗ 51×40,5 📋 ⋮

**MADONNA CON IL BAMBINO E SAN GIOVANNINO. Princeton (New Jersey), Museum of Historic Art.**

Proviene dalla collezione Cannon, nel cui catalogo manoscritto redatto da J. P. Richter

**108** 🔲 ⊗ 26×33 📋 ⋮

**NINFA SCOPERTA DA SATIRI. Proprietà privata.**

Il monocromo è stato pubblicato — assieme ai due successivi (n. 109 e 110) — dallo Zimmermann ["PA" 1965] come autografo, richiamando una 'voce' dell'inventario dei beni di Isabella d'Este (si veda n. 121) sia per il numero delle figure sia per la presentazione a "finto bronzo". Lo studioso propone, per la cronologia, l'ultimo decennio dell'attività mantegnesca. Con le riserve derivanti dalla conoscenza indiretta, l'autografia del maestro sembra da escludere sia per il presente sia per i due dipinti raffiguranti *Nettuno* (n. 109) e *Marte* (n. 110), esaminati qui di seguito.

Cipriani scorge nella Madonna il prototipo delle Vergini del Correggio. In seguito a una recente pulitura (1957) è risultata praticamente intatta; un 'pentimento' fu riscontrato nella figura del Battista; nonostante questi rilievi, manca un accertamento sulla natura della tecnica, o almeno nulla fu comunicato al riguardo.

**103** 🔲 ⊗ 72×55 📋 ⋮
1500*

**SACRA FAMIGLIA E UNA SANTA. Verona, Museo di Castelvecchio.**

Non identificabile la santa. Pare che per tempo sia passata dalla famiglia Bernasconi di Verona alla chiesa veneziana degli Incurabili, dove forse la vide il Boschini [*Ricche minere*, 1674]; e da qui, alla sede odierna. Dalla vecchia critica [Thode; Knapp; Frizzoni; A. Venturi; ecc.] per lo più giudicata di qualche seguace; e così, ancora, dalla Tietze-Conrat, che pensa a F. Bonsignori. Tuttavia già il Morelli l'ascriveva al maestro, seguito dal Berenson e dal Fiocco. Il restauro, in occasione della mostra dei

**109**

**110**

**108**

(Princeton 1926) è ascritta alla scuola del Mantegna. F. J. Mather jr. ["AA" 1943] ne asserì l'autografia, indicando l'opera come frammento d'una composizione maggiore, recante a sinistra varie figure di santi e del donatore. La tesi non ebbe seguito, e fu respinta dalla Tietze-Conrat.

**109** 🔲 ⊗ 33×13,6 📋 ⋮

**NETTUNO. Proprietà privata.**

Gemello del *Marte* di cui al n. 110. Reso noto col dipinto precedente dallo Zimmermann; il quale si richiama, per il delfino, alle figurazioni di Arione nella Camera degli Sposi (n. 48 D ed E).

111

122

112

*Qui di seguito si dà conto di altre opere che le fonti ascrivono al Mantegna, per le quali non è possibile l'inserimento nel Catalogo, o per mancanza di ragguagli cronologici, oppure a causa della precarietà del riferimento. Le indicazioni vengono elencate secondo l'ordine alfabetico delle città dove tali opere si trovavano, tenendo presente altresì la priorità delle segnalazioni stesse.*

## BASSANO

**113. Tema ignoto.** Un dipinto del Mantegna, probabilmente su muro, viene menzionato dal Lanzi [*Storia*, 1795-96] nella chiesa di San Bernardino, senza ulteriori particolari.

## BERLINO

**114. LA FLAGELLAZIONE.** Ricordata nel Castello Reale, quale dono della marchesa Barbara del Brandeburgo alla regina di Prussia, inviato tramite il conte di Ayala [*Mémoires de l'Académie Royale de Sciences et Belles Lettres*, Berlino 1805].

## FERRARA

**115. LE MARIE.** In un inventario (1493) del 'guardaroba' degli Este risulta: "Un quadro de legno depincto cum le Marie, di mano di Andrea Mantegna".
Nello stesso inventario è pure menzione di "Un quadro de legno depincto cum Nostra Dona et il Figliolo cum serafini, de mano del sopradicto Mantegna", che si tende a identificare con la tavola di Brera (n. 62).

**116. CRISTO FRA I DOTTORI.** Ricordato in un documento relativo al 1586-88 [Campori, 1886] come appartenente alla cappella della duchessa Margherita Gonzaga d'Este.

**117. Tema ignoto.** Menzionato assieme al precedente: potrebbe essere la *Sacra Conversazione* di Boston (n. 34 F). Nello stesso inventario si ricordano pure una *Natività* e una *Morte della Madonna*, per lo più assimilate rispettivamente al dipinto di New York (n. 7) e a quello di Madrid (n. 34 E).

**118. LA 'MALINCONIA'.** In un inventario (1685) dei beni di Cesare Ignazio d'Este a Ferrara [Campori, 1886], risulta: "Un quadro ... di mano del Mantegna con 16 fanciulli, che suonano e ballano, sopra scrittovi Malinconia, con cornice dorata, alta on. 14, larga on. 20 e mezza".
La Tietze-Conrat pensa che il dipinto del Cranach [in Panofsky - Saxl, *Melancolia I*, tav. XL] possa rispecchiare l'opera suddetta; il Sidorow [in Tietze, *Kritisches Verzeichnis der Werk Dürers*, n. 86] gli collegò in tal senso anche un disegno del Dürer con Amorini danzanti, a Mosca.

## FIESOLE

**119. MADONNA CON IL BAMBINO E ANGELI CANTORI.** L'opera viene lodata dal Vasari ("Una Nostra Donna del mezzo in sù col figliolo in collo e alcune teste di angeli che cantano, fatti con grazia mirabile"), ricordandola eseguita per "uno abate della badia di Fiesole", da identificarsi in Matteo Bossi (cfr. n. 146). Si tentò di assimilarla alla tavola di Brera (n. 62; ma si veda), ovvero [Cavalcaselle (ma con dubbi)] alla *Madonna* di Berlino (n. 20), ora ascritta al Bastiani.

## MANTOVA

**120. CRISTO E LA SAMARITANA.** In una lettera del novembre 1549 al cardinale Ercole Gonzaga (Mantova, Archivio Gonzaga), Timoteo de' Giusti accenna a un dipinto del Mantegna di questo tema, richiedendone una copia.

**121. QUATTRO FIGURE.** In un inventario dei beni di Isabella d'Este Gonzaga, redatto verso la metà del '500 [D'Arco, 1857], risulta: "un quadro finto di bronzo ... di mano di Andrea Mantegna, con quattro figure dentro".

**122. UNA NAVE CON FIGURE.** Nell'inventario suddetto è pure menzionato: "un altro quadro finto di bronzo ... di mano del detto Mantegna, in lo quale è dipinto una nave di mare con alcune figure dentro et una che cascha ne l'acqua".

**123. CRISTO MORTO.** In un inventario del Palazzo Ducale redatto nel 1612 [D'Arco], viene menzionato un "N[ostro] S[ignore] sopra il sepolcro in scurzo, con cornici fregiate d'oro", del Mantegna.

**124. TOBIA - ESTER - ABRAMO - MOSÈ.** Nell'inventario suddetto è pure menzione di "quattro quadri lavorati a guazzo, di mano di Andrea Mantegna: in uno Tobia, nel secondo Ester, nel terzo Abramo e nel quarto Moise, con cornici nere fregiate d'oro".

**125. CRISTO E L'ADULTERA.** Assieme ai precedenti si cita pure "un quadro sopra tela, dipintovi N[ostro] S[ignore] et l'adultera con un puoco di busto, senza cornice, di mano del Mantegna".

**126. UN BALLO.** L'opera ("un ballo di Andrea Mantegna") è menzionata assieme alle precedenti.

**127. SAN LUDOVICO DI FRANCIA.** Menzionato dal Ridolfi [1648] come opera del maestro, "sopra il pulpito" della chiesa di San Francesco.

**128. Ornamentazione murale (?).** Lo stesso Ridolfi ricorda che il Mantegna aveva decorato la propria casa "posta per fianco di San Sebastiano, ... ma le pitture sono state disfatte dai tedeschi [1630?]".

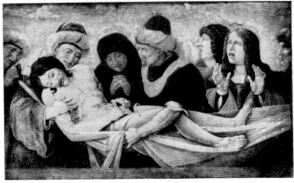

*(In alto e qua sopra) Presunte copie dipinte del n. 131 (rispettivamente a Sanremo, Collezione M. Gismondi, e ad Angri, Chiesa dell'Annunziata). La seconda spetterebbe a un ignoto pittore dell'Italia meridionale verso il 1515.*

---

110 ▦ ✳ 33×13,6

**MARTE. Proprietà privata.**
Reso noto assieme alle due opere precedenti (si veda). Lo Zimmermann segnala il rapporto con la figura centrale nel disegno di *Diana, Marte e Venere* (?) del British Museum a Londra (si veda a pag. 124).

111 ▦ ✳ 40×169 *1505*

**LA SACRA FAMIGLIA E LA FAMIGLIA DEL BATTISTA. Mantova, Basilica di Sant'Andrea, Cappella funebre del Mantegna.**
Nella zona centrale, la Madonna e santa Elisabetta, rispettivamente con il Bambino e il piccolo Battista sulle ginocchia; a sinistra, san Giuseppe; a destra, nel personaggio che il Kristeller identificava col re magio moro, sembra più logico riconoscere [Tietze-Conrat] Zaccaria, qualificato dal turibolo, simbolo della sua carica sacerdotale; dietro, una siepe di agrumi, come in varie altre opere mantegnesche. Si pensa che il maestro l'avesse destinata alla propria cappella funebre (si veda *Documentazione*, 1504), dove è conservata; comunque era incompiuta alla sua morte, come risulta da una lettera scritta dal figlio Ludovico il 20 ottobre 1506. Autografa per il Kristeller, Yriarte e Berenson; compiuta dalla bottega secondo il Fiocco, concorde il Camesasca, che riscontra sicuri indizi di autografia nella Madonna col Bambino, nel Giuseppe e nell'Elisabetta (avver-tendo però che questi due ultimi rivelano ripassature posteriori); per A. Venturi e la Cipriani, eseguita da Francesco Mantegna su idea del padre; il primo studioso scorge pure una partecipazione del Correggio, ammessa anche dal Paccagnini. Tuttavia le riprese a olio ravvisabili in quasi tutta la superficie non sembrano riferibili al Correggio [Camesasca].

112 ▦ ✳ 228×175

**IL BATTESIMO DI CRISTO. Mantova, Basilica di Sant'Andrea, Cappella funebre del Mantegna.**
Non risultano identificazioni per i due personaggi laterali, né per i due visibili nel fondo, a sinistra di Cristo. Si vuole riconoscervi un dipinto rimasto incompiuto nella bottega del maestro e da lui destinato alla propria cappella funebre, insieme con la *Sacra Famiglia* suddetta (n. 111; si veda). Per lo più viene escluso come autografo, ammettendosi tuttavia l'ideazione del maestro: assai modificata, nella stesura ad opera di Antonio da Pavia [Kristeller], Francesco Mantegna [Yriarte] o di altri seguaci [Berenson; Fiocco]; la Tietze-Conrat esclude anche l'ideazione di Andrea, e il Paccagnini sembra d'accordo, comunque riferendo il dipinto al figlio Francesco; il rapporto col maestro, almeno per l'impianto, viene ripreso dal Camesasca, indicando l'enigmaticità della stesura, non priva di finezze.

**129. LA FUGA IN EGITTO.** Un "N[ostro] S[ignore]" che va in Egitto, originale di Andrea Mantegna" è citato in un inventario (1665) dei beni del duca Carlo II Gonzaga [D'Arco].

**130. RITRATTO.** Un "ritratto fatto dal Mantegna" risulta (con le dimensioni di "un braccio") in un inventario del Palazzo Ducale, steso verso l'anno 1700 [D'Arco].

**131. LA DISCESA AL LIMBO.** Citata assieme al precedente, come opera di dimensioni minori: "Uno [dipinto] più piccolo, di G[esù] C[risto] che va al Limbo, fatto dal Mantegna".

## NAPOLI

**132. LA DEPOSIZIONE DALLA CROCE.** Un "Nostro Signore levato dalla croce e posto in un lenzuolo", nella chiesa di San Domenico, viene citato nella lettera inviata dal Summonte al Michiel nel 1524. Respingendo precedenti identificazioni (si veda n. 57), il Bologna ["P" 1956] sostiene che copie della pala sono da riconoscersi in un dipinto nella chiesa dell'Annunziata ad Angri, e in uno di proprietà privata a Sanremo.

## NOVELLARA

**133. UN TRIONFO.** Nell'inventario di palazzo Gonzaga redatto in un anno imprecisato del '700 [Campori] si menziona: "Un trionfo in acquerello, alto on. 14 e largo 8, del Mantegna".

Assieme al precedente vengono ricordati "Un puttino vestito", che potrebbe essere il dipinto di Washington (n. 37), e un "Signore sedente in trono con persone che lo corteggiano", messo in relazione col *Muzio Scevola* di Monaco (n. 78).

## PADOVA

**134. SAN BENEDETTO.** Opera "in tela", ricordata dal Michiel [1525 c.] nel coro della chiesa di San Benedetto.

**135. RITRATTO DI GEROLAMO DELLA VALLE.** Menzionato dallo Scardeone [1560]: potrebbe essere uno dei numerosi presunti ritratti nelle 'storie' Ovetari (n. 14 K)

**136. LA MISSIONE DATA AGLI APOSTOLI.** Un "Salvatore che manda gli Apostoli a predicare per il mondo" viene menzionato dal Ridolfi [1648] come opera del Mantegna, nella chiesa dello Spirito Santo.

## PARMA

**137. SUSANNA E I VECCHIONI (?).** In un inventario del Palazzo del Giardino, steso verso il 1680 [Campori], risulta: "Un quadro alto br[accia] 1, on[ce] 6 e largo br[accia] 1, on[ce] 3 e mezza [cm. 82×74,5 c.], in tela sopra tavola, abbozzo con donna, si dice [sia] Susanna, con due vecchi, tutto guasto; si dice del Mantegna".

**138. NOTTURNO (?).** Nell'inventario suddetto è pure menzione di "Un quadro alto br[accia] 1, on[ce] 11 [cm. 76×33 c.]: un signore con candela in mano che sali-

sce una scala, presso del quale [sono] altre figure", pure ascritto al Mantegna.

## REGGIO EMILIA

**139. TESTA D'UOMO.** "Una testa di maniera, di mano del Mantegna, è un huomo" viene menzionata in un inventario dei beni del Coccapani, redatto verso il 1640 [Campori].

Nello stesso documento è citato un "Giudicio di Salomone", identificabile col dipinto del Louvre (n. 86).

## ROMA

**140. 'STORIE' DI SAN BASSIANO.** Nell'elenco dei beni della regina Cristina di Svezia, redatto verso il 1689, risultano: "Sette tavole in piedi con la vita, miracoli e martirio di san Bassiano, ben dipinte e conservate, con figure poco minori di due p[al]mi [cm. 46 c.], architetture e paesi rispettivamente del Mantegna, tutte eguali di misura, alte p[al]mi 3 e un quarto e larghe p[al]mi dui e un quarto [cm. 78×46 c.] con cornici compagne lisce alla romana". Si sa che il patrimonio della sovrana passò agli Odescalchi.

## VENEZIA

**141. IL MARTIRIO DI SAN CRISTOFORO (?).** Il Michiel [1543] menziona, in casa di Michele Contarini, un "ritratto colorito, piccolo, della storia di san Cristoforo, che fece il Mantegna a Padova in li Eremitani, de man de detto Mantegna, molto bella opera". Verosimilmente si tratta d'una copia dell'affresco Ovetari (n. 14 K); quanto all'autografia, sono leciti dubbi.

**142. SAN GEROLAMO.** "Un quadro dipinto una testa di s. Geronimo, con cornici bianche", sarebbe stato menzionato dal Michiel [Cicogna, "AIV" 1860]. E, assieme a esso, un *Cristo portacroce*, per il quale si può richiamare il dipinto di Verona (n. 70).

## VERONA

**143. Tema ignoto.** Il Vasari ricorda, del Mantegna, una tavola "per l'altare di S. Cristoforo e di S. Antonio": dall'indicazione risulta impossibile comprendere di quale chiesa si tratti. Peraltro la Tietze-Conrat, intendendo che l'opera raffigurasse i santi Cristoforo e Antonio, prospetta che il Dürer possa aver copiato la figura del primo.

**144. RITRATTO DI GIURECONSULTO.** Nell'inventario del patrimonio Curtoni, steso nel 1662 [Campori], risulta, del Mantegna: "Un ritratto di iurio consulto".

**145. Ornamentazione murale.** Menzionata dal Ridolfi [1648] sul prospetto di una casa "sopra la piazza del lago"; o meglio, presso la "Pescaria del lago", come riferisce il Dal Pozzo [*Vite,* 1718].

**146. RITRATTO DI MATTEO BOSSI.** Un'effigie dell'ecclesiastico, che fu abate di Fiesole (si veda n. 119), viene ricordata dal Maffei [*Verona illustrata,* 1731].

# Appendice

*Altre attività artistiche del Mantegna*

Una trattazione dell'attività artistica di Andrea Mantegna che prescindesse dall'opera grafica risulterebbe gravemente incompleta. Già nel 'Catalogo' si sono presi in esame alcuni disegni e incisioni costituenti preziose testimonianze su pitture disperse o su stadi preparatori di alcune esistenti. Sarà il caso di ribadire come tali lavori grafici documentino un'inventiva quale il solo corpus pittorico superstite non è in grado di rivelare. Inoltre, quanto ai disegni, va rammentato che la critica appare assai discorde nei riferimenti diretti; comunque i non numerosi saggi di autografia più sicura si scaglionano in pressoché tutto lo svolgimento mantegnesco.

Circa l'attività incisoria, gli studiosi recenti sembrano propensi a respingere le argomentazioni della Tietze-Conrat secondo cui il Mantegna non fu incisore, ma si limitò a sorvegliare l'intaglio delle stampe a lui attribuite, condotto da altri secondo ideazioni sue. Peraltro sussiste una divergenza di pareri circa l'avvio di questa attività: per alcuni risale alla fine della dimora in Padova (1455 c.); per altri, al soggiorno romano (1490 c.). Come suppone il Fiocco, fu probabilmente il viaggio in Toscana (1466) a suscitare nel Mantegna la passione incisoria; ed echi della 'Zuffa di dèi marini' sembrano infatti da ravvisarsi nelle miniature d'un Plinio (Torino, Biblioteca Reale) forse del 1460-70 [Mezzetti]. Nel '700 si assegnavano al maestro oltre cinquanta stampe; oggi ne vengono accolte solo sette, di cui sei già citate dal Vasari. Il loro ordine cronologico più attendibile è il seguente: i due 'Baccanali' e le due parti della 'Zuffa' ('Catalogo', n. 35 e 55), entro il 1470; la 'Deposizione' (pag. 124) e la 'Madonna' (affine a quella del Poldi Pezzoli [n. 44]), del '75 circa; il 'Cristo risorto fra i santi Andrea e Longino' (n. 64 B), dell'88 circa.

La Morte della Madonna (mosaico; Venezia, Basilica di San Marco, Cappella dei Mascoli). Per il Thode [1898], nonostante le affinità con lo stesso tema del Prado (Catalogo, n. 34 E), rivela interventi di Andrea del Castagno; secondo il Fiocco, del Mantegna con Iacopo Bellini; il Longhi pensa che derivi dal dipinto di Madrid, a opera d'un seguace attento pure al Castagno.

Uccello che afferra una mosca (disegno a penna; mm. 128×88; Londra, British Museum). Attribuito anche a Donatello [Colvin] e a Giambellino [Fiocco], ma l'ormai annoso riferimento alla giovinezza del Mantegna [Kristeller] suscita attualmente i consensi maggiori.

Giuditta (inchiostro e acquerello su carta, mm. 360×240; Firenze, Uffizi). Firmata e datata 1491, lungo il lato di destra. Nonostante le riserve del Berenson e della Tietze-Conrat, viene per lo più assimilata al disegno di proprietà del Vasari [1568]; comunque l'ammissione dell'autografia risulta concorde, ed è pure unanime il riconoscimento che si tratti d'una tra le opere più elevate del Mantegna, per la guizzante vitalità con cui risulta impostata la figura dell'eroina ebraica e per i meditati accordi formali che la legano a quella della servente.

La Deposizione nel sepolcro (incisione; mm. 332×468). Secondo lo Hind l'ideazione per questa stampa risale al 1456-59; la Tietze-Conrat tende a considerarla alquanto posteriore, verso la fine del secolo, poiché vi sarebbe tradotta, in senso cristiano, la stessa "vibrazione eroica" che anima il Trionfo di Cesare. Se tuttavia si pone mente al fatto che l'impianto è strettamente affine a Donatello (si tratta, in sostanza, di una variazione della Morte di Meleagro, quale appare sull'antico sarcofago Montalvo, ora nella collezione G. Torno di Milano, ma che lo scultore toscano poté studiare a Firenze), la cronologia entro il 1475 risulta più attendibile, se non da anticipare. - (A sinistra) Disegno (a penna e acquerello su carta brunastra; mm. 364×317; Londra, British Museum; già nelle collezioni J. Strange, C. M. Metz e J. Heywood Hawkins) di tema incerto, per lo più identificato con Marte fra Venere e Diana, ma — secondo la Tietze-Conrat — di genere allegorico più che mitologico. Abbastanza concordemente considerato autografo; secondo il Popham, da situarsi verso la fine del '400; per la stessa Tietze-Conrat, alquanto posteriore.

Disegni per lavori di oreficeria (mm. 87×85 ciascuno; Francoforte, Staedelsches Kunstinstitut). Assieme ad altri tre analoghi, furono resi noti da K. Clark come autografi del maestro, che li avrebbe eseguiti verso il 1465-70 per essere tradotti su nielli; la Tietze-Conrat ne accoglie il riferimento al Mantegna per la sola ideazione. - (Sotto) L'Annunciazione (arazzo; Chicago, Art Institute, Collezione M. A. Ryerson). E noto che il maestro fornì disegni per arazzi; però — nota bene la Tietze-Conrat — nel presente, la cui ideazione gli venne ascritta da vari studiosi, nulla lo richiama, oltre lo stemma dei Gonzaga, se non una vaga affinità nel monte del fondo e il parapetto dietro la Madonna, memore di quello nella Camera degli Sposi.

Composizione simbolica costituita di due incisioni (mm. 298×425 e 299×425), di cui la prima reca in basso a destra la scritta "VIRTVS COMBVSTA"; l'altra, a sinistra, sull'alloro umanizzato, "VIRTVS DESERTA" e, sulla pietra poco sotto, "VIRTV/TI S.A.I.". La donna grassa in alto sarebbe l'Ignoranza; sotto il suo influsso, predominano l'Invidia (la vecchia con le lunghe orecchie) e il Fato (la giovane bendata), e per raggiungere il denaro gli uomini si lasciano trascinare dalla Follia (il giovane con orecchie d'asino) e dalla Lussuria (il satiro suonatore), trascurano la Virtù, che perisce nel rogo dell'alloro umanizzato, e piombano nel baratro, da cui soltanto Mercurio, dio della Conoscenza (a destra), li può salvare [Förster]. Un disegno relativo alla parte superiore (Londra, British Museum) è forse autografo del maestro.

*(A sinistra) Disegno per un monumento a Virgilio (a penna; Parigi, Louvre), già creduto autografo e messo in relazione con una lettera di Iacopo d'Atri a Isabella d'Este (17 marzo 1499), dove peraltro il complesso risulta progettato con caratteri alquanto diversi; in ogni caso la qualità del disegno appare inferiore a quella consueta del maestro. - (Al centro) Busto bronzeo del Mantegna nella cappella funebre di Sant'Andrea a Mantova; la modellazione, attribuita al maestro già da A. Venturi, può realmente convenirgli (anche se la fusione venne probabilmente eseguita da altri) e dovrebbe spettare al 1480-90, giudicando dai lineamenti dell'effigiato. - (A destra) Busto di Virgilio (terracotta; altezza cm. 74; Mantova, Palazzo Ducale); proviene da casa Fiera in Mantova assieme ad altri due busti (del marchese Francesco Gonzaga e di G. B. Spagnuoli), di cui appare il migliore: trattasi in effetti di un lavoro non autografo, bensì eseguito da uno sconosciuto plasticatore del '500, forse mantovano, ma con ogni verosimiglianza copiando da originale modellato dal Mantegna, come rivelano le affinità con le effigie dei Cesari nella Camera degli Sposi.*

In un testo celebrativo dell'umanista G. B. Spagnuoli [1502], il Mantegna viene paragonato a Fidia e a Policleto nel lavorare il marmo; analoghi elogi gli vengono mossi da Merlin Cocai [1517] e da altri. La ricostruzione dell'attività plastica del maestro fu avviata dal Kristeller basandosi sul disegno per il monumento a Virgilio, del Louvre; il Fiocco vi collegò un possibile intervento nell'esecuzione della pala per la cappella Ovetari e del monumento Cornaro ai Frari di Venezia, e gli riferì senz'altro un rilievo col 'Sangue di Cristo' e un busto di Francesco II Gonzaga nel Palazzo Ducale di Mantova, oltre al probabile 'Autoritratto' bronzeo di Sant'Andrea nella stessa città e ai cassoni per Paola Gonzaga di Klagenfurt; infine il Paccagnini assegnò al Mantegna cinque grandi terrecotte provenienti dal fregio di una casa mantovana. Fra tante opere, la critica concorda pressoché sul solo 'Autoritratto'.

Circa l'attività nel campo architettonico, si sa che il maestro fornì a Ludovico Gonzaga un disegno per il cortile del castello di Mantova (1472) e che partecipò (1482) al concorso per il monumento funebre alla marchesa Barbara; inoltre alcuni storici gli assegnano il progetto per la propria casa mantovana presso San Sebastiano (ma si veda qui accanto).

Infine non stupisce che, quale pittore di corte, possa avere apprestato progetti per arazzi (si veda 'Documentazione', 1465 e 1469), lodati dal Michiel [1519], e per oreficerie (ibid., 1483) e recipienti preziosi (il Sannazzaro [1480-85] celebra un vaso in acero dipinto dal Mantegna, ma forse si tratta di un'invenzione letteraria). Meno probabile, invece, che il maestro si sia dedicato alla miniatura, quantunque il Berenson e, da ultimo, il Meiss gli abbiano assegnato numerose opere di tale genere (Torino, Biblioteca Universitaria; Parigi, Bibliothèque de l'Arsenal), peraltro respinte dagli studiosi recenti.

*Cortile della casa del Mantegna a Mantova, iniziata verso il 1476 e compiuta entro il '96. La struttura dell'edificio (si veda anche a pag. 85) si qualifica per l'inserzione del cortile, cilindrico, nel corpo della costruzione, parallelepipedo; il cortile stesso doveva essere coperto da una cupola ispirata a quella del Pantheon di Roma, e probabilmente era circondato da arcate aperte. La critica moderna tende a crederne autore del progetto Luca Fancelli, architetto dei Gonzaga, su un'idea maturata dal Mantegna stesso a contatto dell'Alberti; peraltro uno schema analogo fu pubblicato da Francesco di Giorgio nel proprio Trattato [1482]. - (A sinistra, dall'alto) Tre Evangelisti, Angelo annunziante e Madonna annunziata (terrecotte; altezza, ciascuna cm. 180 c.; Mantova, Palazzo Ducale). Si trovavano nelle nicchie esterne di una casa quattrocentesca di Mantova, da cui sono state rimosse di recente. Il Paccagnini le presentò alla mostra mantegnesca del 1961 come autografe del maestro, suscitando però forti contrasti da parte degli altri critici e qualche proposta di riferimento al senese Pietro del Minella (1391-1458), seguace di Iacopo della Quercia.*

# Repertori

## Indice tematico

## Indice dei titoli

## Indice del volume

*La chiave dei simboli
posti nell'intestazione di ciascuna 'scheda' è data alla pag. 82.*

### Fonti fotografiche

Tavole a colori: Domínguez Ramos, Madrid; Haase, Bergen-Enkheim; Mercurio, Milano; Meyer, Vienna; Pinacoteca di Brera, Milano; Scala, Firenze; Staatliche Museen, Gemäldegalerie, Berlin-Dahlem; Statens Museum for Kunst, Copenaghen; Witty, Sunbury-on-Thames. Illustrazioni in nero: Archivio Rizzoli, Milano; Bulloz, Parigi; British Museum, Londra; Calzolari, Mantova; Dudley, Oxford; Ministry of Public Building and Works, Londra; Wallace Collection, Londra.

Grafici di Gino Alessi, Sergio Coradeschi, Sergio Tragni.

*Direttore responsabile:* Paolo Lecaldano.

Registrazione presso il Tribunale di Milano, n. 84 del 28.2.1966.
Spedizione in abbonamento postale a tariffa ridotta editoriale: autorizzazione n. 51804 del 30.7.1946 della Direzione PP.TT. di Milano.

*Editore stampatore:* Rizzoli Editore s.p.a.
Milano, Via Civitavecchia 102 - Printed in Italy